Bible Word Search

Using King James Version

by HELEN JOHNSON

for Samantha

BOOK 1

Autumn House, Alma Park, Grantham, Lincolnshire, NG31 9SL

First published in 1993

BOOKS OF THE OLD TESTAMENT

GENESIS
EXODUS
ESTHER
JOB
PSALMS
PROVERBS
JUDGES

RUTH
ONE SAMUEL
LEVITICUS
NUMBERS
DEUTERONOMY
JOSHUA
TWO CHRONICLES

EZRA
NEHEMIAH
TWO SAMUEL
ONE KINGS
TWO KINGS
ONE CHRONICLES

N D E T U R Z E U N U M B E R S E R Z E

E E X S D E E Z R U A S E N O O N U E L

H U D E Z O R R C E C H R O N N S T I L

W T U L I P A A S B A H B E R B J H U G

T E S C H S T T W R A I K I R G S O X E

Z R A I N A H E Z I K I S E R B A M U N

E O M N N E W Z M E N E V A S U D O X E

I N U O R N S E R G G O L D L O T N P S

N O E R O O H S S A R I N G O W Y E A I

G M L H E E C E A P E O P L O E A S L S

S Y E C N X E J M L T O B K I N G A M J

U M V E O O B M E T E R I N G A E M A O

C E I N U D R U B M U N E V T I C U S P

I T T O M U M L A S G M O G E V I E P A

T U R K A A I O U S W A R E N E S L S U

I D B I S S T A E L T S P I O L U O A H

V B S O R T I S M L A S P O J B O J L S

E T W W H N U M P B E R H T U R E N O O

L T W O C H R O N I C L E S S S E M A J

S T H E R D E U T I C U S G S E G D U J

MORE BOOKS OF THE OLD TESTAMENT

ECCLESIASTES
SONG OF SONGS
ISAIAH
JEREMIAH
LAMENTATIONS
EZEKIEL
DANIEL
HOSEA
JOEL
AMOS
OBADIAH
JONAH
MICAH
NAHUM
HABAKKUK
ZEPHANIAH
HAGGAI
ZECHARIAH
MALACHI

```
L A M E N T A T I O N S A H I N A H P E
A S I A H E I N A D A B O S A N M Z E C
L O R H A B A K K U K E J H O I E A T C
A N Y O U H A G I U H A A S B P C C E L
M A L A C H I O S A M I N Y H K C O R E
I O A E O J E R I B D H A A G A H A G S
A E T O S M A R N A E I N I A H U H E I
E Z A H A L A M B E O I I M M E R A Z A
S K E Z E H N O S O A I V A D A C N E S
O E T T C R R B A H A G G A I O H O K T
H L I E L A J O I T A T I O N S A J A E
A P Z F L A M E D S G N O S F O G N O S
H M O C B L A N D U I T I C I I A G A H
A E N A H A H A N G N O S L E L B A A L
I T S M U H A N L H C C E O V E D M O E
M M L I A C O S M A N I J O N A N O J I
E O A C L H A G G I N R P M A L E S O K
R L M I C A H E E A R T I R Z E O H E E
E O I A A I N A D S I A A H E O O A T Z
J S C H M A L I C I A H E R E J O H L E
```

THE BEGINNING — GENESIS 1

BEGINNING
GOD
CREATED
HEAVEN
EARTH
DARKNESS
LIGHT
LAND
WATERS
SEAS
GRASS
HERB
TREES
STARS
FOWL
WHALES
CATTLE
MAN
SEVENTH
BLESSED
RESTED

D A R K N E S S G R A F O W H E T L A C
A D T A E R C O R N E R M H E S W I L R
R D R R E V E N A B E A M A R A A W E E
L E U T E M V S S E N E U E B T O S R A
A D A R M S S E B G I V E E E F E L T T
N W M U L O U V E I S S E R G L I T T E
D A H R T A W T G N E A E R T O H A N D
H W A A R T H H R N V E H T R W D A N E
T A S H L A V E L I H G A T E E C A T T
L R A T S E E B O N T C R E T R E A T S
E G R N A E S O O G E V E S E E S U R E
S R G E O D O E G O D E E D N L P O E P
M A R V M O S U E R G R E E N P U R E E
I H E E L O U S A B E S E B P E E L S L
N T S S H H S R A T S N G O R E S E L A
E A L G H E E G N E I N G O N S E A E H
V N A R I H G S L S A R K K A V L S C T
A K H E R T E B R E P S A R T R A T R R
E A W E T E R E P S A R G S B E L C I A
H D L I G H T N I N G G L A S S B E L E

NOAH AND THE FLOOD — GENESIS 6-9

MEN
WICKEDNESS
DESTROY
NOAH
ARK
FLOOD
LORD

COMMANDED
WIFE
SONS AND WIVES
FORTY
CLEAN BEASTS
SEVEN
UNCLEAN TWO

WATER
ONE HUNDRED
AND FIFTY DAYS
RAVEN
DOVE
OLIVE LEAF
OFFERINGS
BOW IN CLOUD

```
D O C N E V E S E T H G U A D E R D N U
E F L F S C S Y A D Y T F I F D N A E R
S R E T G M E A U K C N E S B F C D O W
T I A E N A D R N W I S S O U L A E B I
R N N R I M O A C L E N W M E V O R S C
O G B U R I W T L V A I U C E V O D E K
Y L E V E N O A I O N O F L A N E N Y E
A N A R F D E W N C L E A T D O V U R D
T T S I F O D V L I V S O R W L I H A N
L O T V O N D O V O S S Y T Y C H E S E
O N S A A O U O D I F F N I C U L N T S
R S O S N D E E L A G A S Y T R N O O S
D N N E N O D O E V E I F E S R E T A W
L O N V A N D L C L V W I D A A L O A A
S R E E A N E L C L E E N B E E F I W T
C T B M E V E N T R O T Y O R T F L O H
N Y M O I S U C I K S E T D E K C I W A
U O N L N E V A R R O A R V E S V E N O
C O O E V L I O N O T B O T L L E V E N
M E N A N C A R K C R O F L O O D O V B
```

THE TOWER OF BABEL — GENESIS 11:1-9

EARTH	HEAVEN	NOTHING
ONE LANGUAGE	NAME	RESTRAINED
SHINAR	SCATTERED	CONFOUND
DWELT	ABROAD	UNDERSTAND
BRICK	LORD	IMAGINED
TOWER	CAME	THEREFORE
REACH	CHILDREN	BABEL

```
S E N E R D L I H C R T E A C H T R A E
C N A R I H S U O H C O N F O U N D N A
B A B E L M B O A I H T E R D E N I A R
R E D B A B A T D E H P E M A N A R E S
I H A R I C O O R N E N D E R E O F E H
C A M E S H C O I B A B L E K V G A M I
K V I A R O F O U N U T U G N A L M E N
E E C D B E L L T O E S S O M E A N Y A
G N O M R A O O O R A D O R R H C A E R
A N N E I B A E R E A C D E E E F O R E
U M H A C K L E W D A O R B A D O W N Y
G T T R A I N D E R E R A T T A N T A S
N O T H I N G R A N G U T T A C S U N D
A O G A M G E M O R Y N D R B I H T O N
L V T H A T C R O W D E N I A R T S E R
E A H H T O W E S H E M A G B B R O W E
N E A A N S H I A V O I D N E D L R O W
O H C D O G D E N I G A M I B W E L T O
A S H D O W N E D P O E P L E A B L E T
P E T R N I H S O R E S T T L E W D A B
```

PROMISE TO ABRAM — GENESIS 12

LORD	SARAI	EGYPT
ABRAM	LOT	SISTER
LEAVE	HARAN	FAIR
GREAT NATION	CANAAN	PHARAOH
BLESSING	APPEARED	PLAGUES
CURSE	ALTAR	TAKE HER
SEVENTY FIVE	FAMINE	GO THY WAY

S I S T E R K G E N O I T A N T A E R G
O C I R D N I P R D N K P S T R P D R Z
N U S A R A I T V V E T E O D A E P B A
T A E A A L S M E E S Y I H T F L L B B
R Y V N B T U Y A L E A V E O A E R E R
R F E C E A S V L L O Y O S G I S E H A
O T N O F R H A S O S L U U T G N A T M
B H T R H R T Y I R D E E P E T F D G I
O R Y E T E E G I D W S Y R E N A R A H
T H F N O F V I L L I G L A S I M K A L
E R I S G U D D L N E D E P E I L A I W
G S V O U N E U I R T T R E H E K A T S
N D E R J D O T B E A Y A W Y H T O G E
I E Y E N Y E T E A P R E N O S E O Y N
S H A N D L H N M E T R E T U H T H T A
S E P L O R I M I D E R A E P P A I S A
E L Y U T M E N I H S E W A R A A C A N
L O T R A P K P H A R A O H S E N N A A
B I N F Y O S R I A F H T B T E S R U C
Y N M E T W S S G I N V E A B M R R A S

MOSES IN THE BULRUSHES — EXODUS 2:1-10

MAN	PITCH	OPENED	WATER
LEVI	CHILD	BABE	
WOMAN	RIVER	HEBREW	
SON	SISTER	COMPASSION	
HID	PHARAOHS	NURSE	
ARK	DAUGHTER	WAGES	
BULRUSHES	MAIDENS	MOSES	

S O N E F O M W E R B E H E W A R K A W
I O H H T N A T N I R E H T R R I I O O
S O O U S E S O M E B A M O G A V N P M
T O E S V I N P N O N O D O S S E E H A
E F N L E C S I E I E T L E A R R D I N
R E O C N O I S M O Y H G O F O H G A F
M I I E I V R I V H T A N M F I D S L R
L O S I E U U M S A W O A E T M L B H E
H S S A N T L G O H E T H E R H I T Y I
R A A P A I P N M A C F P I T C H R V E
A H P M I D R E T A W E I C O B C H D B
S I M O V E I A W O P T C M P R K N U E
E C O C M P O N B G E S D A S S I O R S
H T C H D E T C E L F F H G E T G A W S
S P H A R A O H S D A U G H T E R S A N
U Y H M A E R I T L T N R O G R A H I E
R L E A N E D E H Y A N B U H I D E V D
L I V N R G I D E R D U A F L E P R E I
U L M A N S I G A M D E N E P O S D L A
B D I M O W B A B E N G M A S N E I A M

TEN PLAGUES — EXODUS 7, 8-12

PHARAOH	NO WATER	FIRE
MOSES	FROGS	LOCUSTS
LORD	LICE	DARKNESS
HEBREWS	FLIES	FIRST BORN
GOSHEN	MURRAIN	DIE
RIVER	BOILS	LAMB
BLOOD	HAIL	PASSOVER

```
A N O R A A B R O T H E R T H P O O R P
L R O A S R M A H E A G O S W E R B E H
I I E I D P E D T E N I A R R U M S E A
C H C M K A E V D S K S T O S C U B L I
D R A E A I N U O H E N E R V R O A A L
B E D F H E T C G S E R N C E E I O M M
E P N D A R K N E S S P E T O M B D B E
I A H M T S B B E A M A A U E M A D T H
F I R S T B O R N C E W P O N G N R D Y
I F H Y R I G O D U O A S A Y S G O M T
R S L I O B N U T N D T D P T T R L I N
S D R I V K O S O I D O R S C S E R I F
G O S H E N F I H A O W E C O U H D L N
O W O E S I T S I L N D E R O C E A R G
S F S L R I V L B R A S T R S O N E T F
R U O E D T F O M L F W P U E L D H L T
I H V P A R R S O R D R U T S W O I U O
V I E O F I C A O S N E O A O L E S I V
R G O O I E U K A T N S H G M S H S S E
D R U Y T C P H A R A O H L S O U E R G
```

THEY ASK FOR BREAD — EXODUS 16

CHILDREN OF ISRAEL	RAIN	CLOUD
WILDERNESS	BREAD	EVEN
MOSES	HEAVEN	QUAILS
AARON	GATHER	HOAR FROST
LORD	EVERY DAY	MANNA
WE DID EAT	SIXTH DAY	FORTY YEARS
HUNGER	TWICE AS MUCH	CANAAN

L	R	E	H	M	A	N	N	A	T	O	A	N	O	R	A	A	A	E	R
O	E	H	A	A	T	U	P	E	G	N	Y	A	D	Y	R	E	V	E	G
R	R	E	T	O	N	K	A	S	A	U	R	B	A	L	E	H	I	T	B
D	K	M	H	F	O	R	T	Y	Y	E	A	R	S	O	T	S	T	S	R
E	W	E	D	I	D	E	A	T	W	I	N	R	V	D	L	W	S	H	E
F	O	R	E	H	U	O	T	C	A	T	N	E	V	E	F	C	O	A	A
L	B	A	U	H	T	G	M	A	R	E	V	C	A	E	R	O	R	L	D
N	E	D	A	U	N	O	R	N	C	T	O	R	E	V	N	A	F	B	A
D	R	C	C	N	A	I	N	A	S	P	S	S	L	E	G	O	R	B	T
I	O	D	L	G	T	I	F	A	E	I	H	A	R	G	I	N	A	F	O
Y	N	U	I	E	A	U	L	N	F	M	N	E	A	I	T	S	O	W	R
A	G	O	N	R	A	L	L	O	U	L	A	G	A	T	E	C	H	O	E
D	L	L	O	A	N	I	N	R	H	C	U	M	S	A	E	C	I	W	T
H	A	C	K	A	H	E	P	E	M	A	T	P	A	A	A	A	P	T	E
T	D	E	T	B	R	S	A	I	R	R	E	H	T	A	G	E	N	E	S
X	P	X	I	D	N	U	U	N	G	S	V	W	O	B	A	D	E	T	E
I	Q	U	L	P	A	U	Q	U	A	I	L	S	U	R	B	P	V	H	S
S	U	I	E	A	D	S	N	E	E	O	W	B	N	R	V	L	A	A	O
B	H	U	S	E	S	S	N	R	E	D	L	I	W	A	B	E	E	E	M
C	D	N	D	I	W	I	L	D	E	R	N	E	S	S	A	D	H	N	A

EXODUS 20

GOD	COMMANDMENTS	COVET
SPAKE	IN VAIN	THUNDERINGS
LORD	SABBATH	MOSES
NO OTHER GODS	HONOUR	FEAR
GRAVEN IMAGE	KILL	ALTAR
JEALOUS	ADULTERY	OFFERINGS
MERCY	FALSE WITNESS	BLESS

A J E A L O U S M E R S Y S A B B A T H
H E A R O P C W S U G A C P E I N V A I
T A F F O D M A E N R V M A T H V V E N
K L E E D O M Y I A V E B K I P P R A G
I U E T A N D R S S E W I E H O N O U R
L S A U D R E R G I M M G A K E M I N A
L I C O L D I N I G A O E P T R C A O V
Y R E T N V I N N O O T H S Y D X E O E
S U R U E R L O R D O W E S C I N G S N
D P H T E R T G D B A S L E E P K I L I
O T A F T H O R S I O F B N M Y C R E M
G E F L E Y T O O M M O C T T N E R R A
R O E N V R H N O U P A N I E O F F S G
E S A U O E E A L A L T A W T N E S H E
H A L I C T M E N T S A V E R P E H T O
T B A T H L A S A B P E K S Y L I N O V
O T P P S U U R K A K L I L B O M O S E
O H A L F D A Y S S L B E A N I A V N I
N C O M M A N D M E N T S F A L W I T S
S C C I I S O A L O J E A F U L Y D A P

BATTLE OF JERICHO — JOSHUA 6

JERICHO	ARK OF THE LORD	ACCURSED
LORD	SEVEN	RAHAB
JOSHUA	PRIESTS	HID
KING	TRUMPETS	MESSENGERS
MIGHTY MEN	FALL	SHALL LIVE
COMPASS	SHOUT	SILVER GOLD
ROUND	GIVEN	CONSECRATED
SIX DAYS	CITY	TREASURY

```
S E N G E C R A T E S U R H O U P A S S
M M E L L A R K I N G E P W A Y T X O S
A E E I V L I I C Y R U S A E R T H I E
R S H A L L L I V E H C I N J R C X O T
C S I A U G H I N E M O X E E S D O R R
H E D E T A R C E S N O C V R A J U N U
L N O I S I T L R L R N S E Y H O U D M
D G Y A T A E H O O V A I S E T S T E P
S E D U E W H H A R E L H D E W H I R E
T R O O M M C A N D A M I A O B U C N T
A S I L V E R G O L D H F O B T A F E S
N C C A C T I A C C U R S E D M E P O O
E A P R U Y D R O L E H T F O K R A E O
M S H O P A N O M E V O O S E H E C E N
Y T H A E Y D H R C I T Y U S D M A T E
T S S L D R U C A O R D E T O A V O W V
H E U E I L A I N E M N A K L T P I C I
G I O A H G R R U R Y U R R L N G M G G
I R R O I N D E E T R O O Y A I A A O U
M P R V P O L J J Y O R L A F S S M O C
```

BATTLE OF JERICHO — JOSHUA 6

PEOPLE
DESTROYED
SWORD
SPIES
FATHER
MOTHER

BRETHREN
KINDRED
CAMP
BURNT
DWELLETH
ISRAEL

CURSED
BUILDETH
FOUNDATION
FAME
COUNTRY

S A I P E O D W E L U I L D A T I O M A
B U R N T Y N U O R N D N O R S P I E S
U U E L P E O P N M E W I G S P B L W C
O F C U R S E D A N V E S U O I W O A A
N G D U K E P M L O I L L E J L R M Y M
I O O B U I L D M I N L C L O L P U O B
A C O U N T R Y O T L E T A B I V E L E
T O A I O C E O M A M T N E R H T E R B
U U T L L I F R S D L H O L D T N O R R
O S E D D O T O F N I U B E E O O E O Y
F A M E Y G M U L U A R S I Y C T N I K
O O I T I O N E O O I T B L O H A S S W
U T U H B U R S R F D R E T R D I R O H
N L E W D W E U O Y R A T P T S U S L D
R E H T W I H W O R R W E O S C A E R E
E E I S A I T E I S S S L P E O P L E R
H S P G U I O S I S S W O R D W E L L D
T U T U N B M S S K I O U E S T C O U N
A A B O I U E T H R N D R D E T Y T R I
F A M L C E A S A E W D D I A M D N I K

DAVID AND GOLIATH — 1 SAMUEL 17

DAVID	FIGHT	SLING
GOLIATH	SHEEP	DOG
PHILISTINES	LION	CURSED
CHAMPION	BEAR	LORD OF HOSTS
ISRAELITES	LIVING GOD	HEAD
AFRAID	FIVE	SWORD
SAUL	STONES	JERUSALEM

C C H A M P I O N H G I L S E V I F R D
D U G L Y G I H P E T H I F D I A R F A
D P I L O N O E M R W S V D A R F I V V
R A A I O I H A F S R E I L L O G A D I
O M T E H L B E H N I T N A E H I V A D
W P H I H S R U C H A M G O T S W O R T
S I N I L S H E P A L O G P M A H C R F
A L O R D O F H O S T S O Y Z D O G S R
S L I G N P H I T S G I D L I O T H I A
S P P I T R U H S A L E M E D W S W A I
E T I M O I L E P E T E R D A N H A V D
T S E E H S H A A D F I E V D G E M L S
I T L U E S B D I A R S A U E P E S O H
L I O M E I E H C U R D S I L I P H S T
E S E N O T A S A U E A D H I S T S M A
A E O G N I R U C T H G L I O N H T A I
R T J E R U S A L E M A U U G I F U L L
S I I T V A D A S E T I A L R A R S I O
I L P H I L I S T I N E S P A E B P O G
S E U L F O D R O L P E H S J E J E R U

PSALM 23

LORD	SHADOW	RUNNETH
SHEPHERD	FEAR	GOODNESS
WANT	COMFORT	MERCY
PASTURES	TABLE	FOLLOW
LEADETH	ENEMIES	DWELL
WATERS	ANOINTEST	HOUSE
RESTORETH	HEAD	

E R E S T O R E T H S U O H T E D A E L

C U N H E R U N E H L S P E R D W E N L

Y N W A T R S A W N T A L E B A A B U S

F N W D W E M O D A H S H C O M F O R T

O E N O I N L E D E T S E O H U G O U A

R T A W E L E A D L T E H M D O O S N D

T H W F O L L T N O W N C R E M O H N O

A D E F P O T S E R H D A E N R N A T W

B A S H E P H E R D G O O D Y R C D H S

S E H E S H L E W A N O I O S T M Y C E

H N A H E L E T E R O G T S E R F E A R

A E O P E O A R A E O B L D E A E E U U

D M W W A T D R T S E T N I O N A N R T

A E D A H H S A B O R T F O C O N R E S

E N A U H O S E I M E N E E H T E S S A

O E A E L E A T H D E L L E H T U S A P

R H E A D I E N E M E E B E S O R H A A

E M H L W D O O G E H E A S H A D W O S

T W A N T R U N N S R E T A W T O U R T

H T E D A E F N E S U O E L B M E E N E

PSALM 27

LORD	STUMBLED	HIDE
LIGHT	AGAINST	LIFTED
SALVATION	HEART	PRAISES
FEAR	CONFIDENT	TEACH
STRENGTH	DESIRED	GOODNESS
AFRAID	SEEK	COURAGE
WICKED	TEMPLE	WAIT

N O I T S A L L H E A R E D C O U N E S
G U O H T I A W I S T U M B L E D A N D
H A N W I C K E D R U T H S L I G H T T
S O H I L O E R E T M N D E S I R E D E
T S D C J U F E S A V A U R S K A R F N
O H E O F R E A O H I O U C T E C S O R
U L T U A A A G C A S P R O R M O R E L
E D F R O G S A L N D I A N E P N E V L
N C I G O E E I Y T Q I N T N N F E R E
S A L V A T I O N I U S U N G R I R O F
P M R P A E H A M C S P P E T A D F O L
E S T R S M P E O E I L W E H T E T E F
T E E K S P E F N A C O A S E I N S H E
H S T U D S E D M I O C T R A O T N T A
E I L M O E O A N E N S T U R F N I F R
Y A D E O O K R W A T E M P L E D A S O
T R R D G U E F I L E S T R G A I G U E
I P R B M T E A L L F R D I A R F A D P
M O F R O B S H E A T E W E I N E I I I
L E O T U L E S H E A R T L L T H H O N

A TIME TO — ECCLESIASTES 3:1-8

TIME
PURPOSE
HEAVEN
BORN
DIE
PLANT
PLUCK
PLANTED
KILL
HEAL
BREAKDOWN
BUILD UP
WEEP
LAUGH
MOURN
DANCE

M	I	T	K	C	U	P	U	R	O	D	A	E	R	T	N	A	P	U	P
N	N	E	B	H	T	D	A	H	T	N	A	L	P	E	R	H	T	E	V
I	G	I	R	E	O	H	A	T	I	R	S	L	I	E	H	G	I	R	E
N	T	O	E	W	E	V	H	G	M	E	A	V	A	S	I	T	N	E	I
I	T	H	A	R	O	D	I	V	E	T	D	E	V	A	S	E	A	I	D
D	N	E	K	T	U	E	O	F	N	W	B	P	U	R	P	O	S	E	I
L	O	O	D	E	X	O	J	N	E	O	A	L	S	E	I	N	R	E	E
I	G	M	O	U	R	N	I	E	R	W	N	U	F	O	T	E	C	P	H
E	F	E	W	I	C	I	P	C	T	O	R	C	R	E	P	E	A	E	E
A	X	V	N	L	S	E	D	E	H	E	A	K	A	N	F	U	V	I	A
I	T	H	O	L	D	E	T	H	E	U	K	N	I	E	P	L	P	A	V
O	N	I	B	U	I	L	D	U	P	P	O	S	T	L	A	H	W	L	E
S	D	H	S	H	P	H	A	T	H	T	B	D	A	N	C	E	V	E	N
U	A	N	G	W	A	P	R	V	N	D	H	U	A	L	E	Y	A	N	A
S	N	U	T	T	S	U	I	A	S	E	N	T	D	N	S	M	T	I	D
P	A	I	V	E	O	A	N	L	I	T	E	U	R	A	N	R	O	B	T
L	I	R	L	E	U	L	R	E	G	N	I	A	N	D	B	D	I	L	O
E	U	A	T	E	R	N	U	A	H	A	N	K	O	E	P	G	L	A	M
E	E	S	H	S	D	U	O	B	L	L	D	O	O	G	I	I	N	I	T
H	O	O	P	W	R	E	T	T	E	P	P	W	L	J	K	I	L	Y	R

A TIME TO — ECCLESIASTES 3:1-8

CAST AWAY STONE
GATHER STONES
EMBRACE
REFRAIN
GET
CLOSE
KEEP
CAST AWAY
REND
SEW
SILENCE
SPEAK
LOVE
HATE
WAR
PEACE

B E E S O R L O E H T A G T S A C Y A W

T H E W A S I L E N C E E L I S S A C A

I E R D C I I S E P A W A S O N Y L A T

G A T H E R S T O N E S E E R E O T S V

A B A F M A P I M I T O S I H S E O S E

T T T A B R C M E E T T A T E H T V E R

E F H E R O F W A R H S O G N I Y R N I

A C T R A I T A R E W O E Y T S A C O J

J E S Y C O R P H F E L V W O S C A T C

E L O V E D M I E F A C T E R A G O S E

S U O L A U G R Y A W A T S A C O D Y D

U V O V E S D O F R O S N E A T K E A O

S E U A P E A C E Y U H M S H E H T W G

I S E A E M E B R F L D T A E F I L A O

L P E A A N D F A E N O Y P O T E M T O

S P E A K R O D J R I J O R E R S B S Y

S A S S J E W N C O F E A O G E D A A L

D N U E S A B E S E E C G U D O P S C I

O F A H R B E R E F R A I N O Y O C O F

U R T E G F O T I M E G L L U P I S H C

DANIEL IN LION'S DEN — DANIEL 6

DANIEL	SEALED	ANGEL
PRAYED	KING	SHUT
DEN OF LIONS	LIVE FOR EVER	MOUTHS
DARIUS	LAMENTABLE	INNOCENCY
GOD	SERVANT	COMMANDED
DELIVER	LIVING GOD	NO MANNER OF HURT
STONE	CONTINUALLY	BELIEVED

L	A	M	E	N	T	A	B	L	E	N	I	K	N	A	D	U	O	H	S
I	C	N	P	R	E	S	M	B	D	E	D	N	A	M	M	O	C	H	H
V	O	S	G	I	M	E	B	E	L	I	E	V	E	D	A	O	O	T	U
E	N	S	D	E	M	A	T	H	T	B	E	L	I	V	E	D	A	U	T
V	T	T	N	R	L	G	E	E	E	E	R	C	U	H	C	M	M	D	R
F	I	A	N	O	M	A	N	N	E	R	O	F	H	U	R	T	C	H	U
R	N	Y	O	B	E	M	H	A	C	T	R	Y	N	A	M	N	O	N	T
O	N	L	M	R	M	O	U	T	H	S	E	Y	O	L	E	I	N	A	D
R	D	L	A	S	T	G	B	H	A	T	I	S	R	D	R	U	N	I	I
E	D	A	N	E	N	O	T	S	B	L	H	S	W	E	C	Y	Y	A	N
V	O	U	N	R	H	V	O	R	I	D	E	N	N	I	V	L	N	E	N
E	G	N	R	E	F	T	R	A	N	W	P	O	D	R	G	I	A	O	O
R	G	I	H	T	H	H	O	T	N	P	A	I	R	W	S	E	L	D	C
O	N	T	U	N	A	G	T	L	O	N	I	L	R	I	H	T	H	E	B
F	I	N	N	S	D	U	N	E	C	G	N	F	F	T	G	O	D	F	D
E	V	O	W	E	N	O	A	O	E	A	S	O	Y	E	E	R	O	M	E
V	I	C	L	T	G	F	V	I	N	M	L	N	A	D	N	G	T	E	Y
I	L	A	E	F	N	S	R	V	C	B	E	E	D	T	O	E	H	R	A
L	E	L	V	R	I	H	E	I	Y	T	P	D	N	K	A	H	D	O	R
S	D	I	R	O	K	M	S	D	A	R	I	U	S	S	N	T	S	O	P

JONAH — CHAPTERS 1-3

JONAH
NINEVAH
JOPPA
SHIP
TARSHISH
TEMPEST
AFRAID
ASLEEP
CALL THY GOD
GOD OF HEAVEN
CAST LOTS
ROWED
CALM
GREAT FISH
SWALLOW
THREE
VOMITED
PREACH
BELIEVED
MERCIFUL
CAST

B E B E L I E V E D E T D E T I M O V J

T N N I N V H A P P O J E S I P H S O G

L E E W H S W S P R E K E O J A H H M R

S P M E P Y E T T E G E R G V I T I N E

O W E P R E N R V O A E H R P E O I I A

D O R C E A W P G R L R T E E C P L N T

R L C H A S N O O W O T L W A W W S E F

K L S A C N T O D S A E S N L T T A V I

C A A S H S C R O E B N G A A U U L A S

O W T L E O E M F A F E D O C B E F H H

W S W A D M R T H E L O O A A C U O R L

A F R A I D D A E R U O G W E H T H O U

A A E P E S E L A A F T Y L W L W S Y E

S T S M T R I G V F I H H E E D L I E R

C C A L P O T H E E C A T D N R O H S D

A A O O E S U E N N R O L U E L H S W E

L E B P M E Y J O E E T L R V T F R A W

M S R L T O P U N R M F A A V E O A O O

E N C E J O N A H E Y E C A S T R T W R

S H T A R J H S I H S L S A N E V A E H

A's OF THE BIBLE

ABATED	ABOUND	AQUIT
ABHOR	ABOVE	ACTS
ABIDE	ABSTAIN	ADMINISTRATION
ABILITY	ABUNDANCE	ADMONISH
ABLE	ACCEPTED	ADVICE
ABODE	ACCOUNT	ABOLISH
ACCUSE	ABOMINATION	ACKNOWLEDGE

A B S T A I N D E N O I T A N I M O B A
M A E R G N O C T N F D A A H S A W A M
E A D M O N I S H I A P B N M S E B B E
N I D L O S E D I A A O D A H Y A I O N
O E C I V D A E N T L N S R U T I M U D
A I C N A D R E H I E T U N E S T O N A
F L K I V T I S S C M O A D D E D N D B
F C O N L L A H Y R E V A H M E V O B A
A C K N O W L E D G E M Y A A D R A B F
C T H N O I T A R T S I N I M D A I O R
K Y P W H O A Q U I T K G O F A D A C E
E W O S I T A A U E I R O L G E A P L O
C E R S H I B S Q S A Y D E T P E C C A
N C T B E H S A K U M K I N G O F G L Y
A O N O O L E F E C T E E T A L E C C A
D M U R O O A R O C H D R A C E M O M E
N E O R D E N I G A O P A I T I N E L C
U S C S A M R E V B E R P B S N B B H R
B A C R O S S E A I H A V A H T A T L A
A M A Y E Y A B I L I T Y R E E G O C C

B's OF THE BIBLE

BABE	BAPTISM	BEGINNING
BACKSLIDING	BARREL	BEGOTTEN
BAKER	BARREN	BEGUILE
BALANCE	BASKET	BEHOLD
BALD	BATTLE	BELOVED
BALM	BEAUTY	BETRAY
BANNER	BEFALL	BEYOND

S D I L K C A B A B E B A T O D L H E B
E R K A B O B A L N C E M S I T P A B L
B A D L E P E C B E E N B E G U I A E I
A B E A F E L K E E R R A F E B T R H N
K R A B A R V S L O G N R U B T R O O K
E E B A L O D L O H E B M A L A A B L B
R A E L L A N I N B R A Y U B A B A E A
N K A B B A N D E A S S B A R G E G D B
E B A T T L E I T T A R S B N A U G E E
T E T A F E B N T T A K E I A I T G O H
G B A S K T E G O L E G N L L R R B H O
E G E T U A E B G T U N B E N I E E E D
B U Y T T A B A E B I B E F N L N L B L
E I Y K R A B C B G I E Y N A E N I E D
C L D B L A E K E S U G T B A L A U F N
N E N A R B Y B G N N A U O Y E B G E O
A N A D E E M L I T E N A N I S M E L Y
L N L L B T L B I N P E E B I R T B A E
A A E E G A A R B E B B B E T K S A B B
B B B L O B B V G B A R D E V O L E B S

L's OF THE BIBLE

LABOUR	LEAF	LIVING
LADEN	LEARNING	LOFTY
LAMB	LETTER	LOOK
LAMP	LIBERTY	LORD
LATTER	LIFE	LOVE
LAW	LIGHT	LOWLY
LEAD	LIKENESS	LOVELY

T H G I L U O L A B O U R T L E E P F O
O U L O A I B A E L A T E B O E N U O F
L B M A G V I D I R K A L G F U T U R O
V I L I H G Y E L Y W O L O T A P A E L
B G V L E I A N A E A L O O Y O V Z E E
L A N I B I L T Y L O V T L I K E N D F
A T T E N L O F Y E D L E T O O W L N A
M L E N T G N A T D U O L E T T E R S E
B N S L E N L S R L I G N A M L I V I L
L A M P L L S U E E L O R D L L A N D Y
A P E T L E K I B L E F I L A D D A E L
E M P Y N L H G I L I V D L O W Y L O D
L T L E B E B A L A L O V E L Y L O A F
O Y K I N G E A R Y T R E B L I G A E L
O I T L E A R N I N G Y E W E E L I F E
L E H N E S S K I L E F O R E P R C I E
O B I C K Y E V O L T L Y E W E A E L P
B I L O I L Y I N G T P A T A P I E U A
A L N O L I N T G R E T T A L E G A L E
L O W L O G L O V I L L A L U L L A B L

T's OF THE BIBLE

TABERNACLE
TALENT
TABLE
TARRY
TEACH
TEMPTATION
TESTAMENT
THANK
THANKSGIVING
THINK
TOWER
THRONE
THIRST
TRAITOR
TRAVAIL
TRESPASS
TRIAL
TRIUMPH
TRUE
TRULY
TRUTH

N A C L E T H R O D E L C A N R E B A T

E T T O W R E W O T R U S L R A I L L A

B R E A T H A V H E A P A P T O U C H L

T A G S C N A H T N T I N T H I R S T E

H I N T T I M O U S R E T Y C A R T R N

A T A R R A I N R T U T H P L U I R T T

T O A S T I M O T O Y H U R T U C U H E

N R O C R H T E S N E R M E T H R U U N

A C H I K T A B N L E O S A P S E T R T

N H O L I A V A R T O N W Y K N A H T Y

O R R A T A L O N G T E H R O H U I R T

I A R T R I U M P H T S I R T E A M H A

T I I M E S T E A R M E R I O U L I A B

A A T H I N K I E O C L A I M R W O T L

T H A H N K T S E M O H C A E T R U R E

P O L A E N P H O R T I M E L E S S I T

M N A N I A G N I V I G S K N A H T A N

E T N E S D A R K I A V S E R T O M E B

T U T S R I N C O R R E C T N A M E E L

U G N O T A R R Y E S T E O H C A E T A

WEIGHTS AND MEASURES — BIBLICAL UNITS

TALENT	SPAN	BATH
MINA	HANDBREADTH	HIN
SHEKEL	COR	LOG
PIM	LETHECH	BEKA
SEAH	GERA	OMER
CUBIT	CAB	

```
M H A E S S T I L G L O H T A P E G A S
I E T E N A T A L E N T A T N U O E M A
N A P A A A C N H O C T E L I M I R I H
B R O N L U L I F E H I M T I K M G P I
R T E M S P A M N I B R E A K E B O M L
E H T I E T H E N K C O L S A H R M O E
G A E R B R B D N A H R E D T H E I N M
I A L E N A P B K A E T N D L A T M A A
H I M H E K E P L O G R A E H E S A H D
S A H P A B H A T O G E R C O Y I H T A
H A N S P E S M E M R O E C O B E T V E
A S H E K E L B A B A H T H T A A V I R
K H S E L B H T D S T N D S B R T T R R
L E R O C I N N R E M I N N A P S A H T
T A G E P A A L L A B H Y H T B D N A R
I E L K E H S E T H O U I T N A W O A O
B S H A R I A M C N A P B D G O T G K P
U N I R E E M S E A R P U N E N A T E I
C E M W G E R A I T B U C A D I Y A B N
B T N E L M I H C H T E L H L L A P I P
```

BIBLE GEOGRAPHY

SAMARIA
EGYPT
NAZARETH
BETHLEHEM
BETHANY
HEBRON
BEERSHEBA

JOPPA
TYRE
SIDON
CAESAREA PHILIPPI
TARSUS
CYRENE
ALEXANDRIA

DAMASCUS
ROME
ATHENS
ASIA
GALATIA
PHILIPPI
NINEVAH

C C A E T S N E H T A M A S A T P Y G E
H Y A H A A T G R Y C E G I I Y P P L A
E R T E R M T H C Y R M N A O R Y T S T
B E T L S G R D X L A O I E B E H S A N
E E Y B S A I N L A O R O A S C U S M U
E B T Y I L R A L L D O A S I M O R A O
R B D H A A L E X N L A L X D S T O R M
S I D O N T A L A N I S M S A M R O I O
H E V E N I L X A P D X L A S I A M A N
E G Y A L A E X P H H A S A S A T O A I
B E T A A L X I D M A I D N Y C Y D A N
A A A M A L L H E T E B L A N Y U R O J
R Z R A P I P H I N V E H I A S I S T O
G A S P H E E B R Y T E B H P H I I L P
Y R U P I L E X A N O N T A H P X E E P
S O S O H E T A S A H E A O O O I B E A
Y E A T H V H A N H R R Z N O R B E H A
A L E O H E G S I T A Y O T E B M E T L
A B J O P H T E E E E C A H E L E L A A
N A Z A R E T H B B E N I N E V A H A G

BIBLE GEOGRAPHY

UR	BABYLON	GOSHEN
SYRIA	CANA	SELAH
TIBERIAS	BETHEL	MOUNTSIER
SINAI	ADRIA	JABNEH
JERICHO	ARARAT	HOBATH
ISRAEL	ABARIM	LAODICEA
HOREB	GILGAL	LEBANON

S A I R E B I T S U R Y S Y R I A P U U
I S S S Y A N I A N A C I T A R D A Y R
S O M O U S E O D A L A I S E L A H E B
B A N O G I L A H M O N E E J E C O L A
A E I S U N E R R O A D A H A A I L H T
B S T S L N M I C H B R C H E D A E I I
Y I N H I I T R O A A A A O C O R B B M
L E B A R T I S I N N I T R I A D A A O
O A L A D R E I I B R O C H D I C N I T
N G B O L I G E R E S U O H O G B O O H
J A B N E H A E S I R S E A A L L N I B
A R A P T O G J I N E U L B L U E V E E
B A P I I H O A R A R A T O N O H O U R
L D B I B C D K T E V O E K R A T A K O
A R B J G I L G A L G L A O I T E B E H
D I A I S R B E D U O H T A R E B A O Y
I A B E O E A S G J G M H L E A R S I R
S I I S M J C A O O L U G N O R A A N I
E S I N A I U S G O S H E N H O D D A A
L I S L I C O H E R J T H B E N J T H E

MEN OF THE BIBLE

ADAM	JACOB	BARNABUS
AARON	JONAH	MATTHEW
MOSES	ELISHA	ZACCHAEUS
DAVID	SAMSON	KISH
BALAAM	REUBEN	TITUS
ISAAC	PILATE	JOHN
ABIJAH	LUKE	JOSEPH

```
I S A A C A H C A Z A C O S U C C A Z D
S H A B D B A V D A V D N R A B E V A D
A S U I E A A H C C B S A N R A B V C C
B I J J A C O B A C H A M O N K I K S A
A S M A S I P I L H E A V S A D W U E A
R H N H O I A B C A J C A M S U E B P S
N A H O L A K I S E N A L A B C A N H L
A A R E U B I S H U I T U S A L U K T U
B A A R E I S I T S C C A Z A D M A T C
U S C A S J H A I S A A B A I B A I L E
S J A C O J L H T T A M M U T I T O S E
A T S O J O O S E P H A W E H T T A M I
M A I S I B A H A J B L E M A S W L I P
S H O T I S T U N R A A J N O J E T A L
A P I T U P I E L I P H O V I D H S A O
A E O S E S T T A M I S O M H A N N O J
B S A N S O M A A J L I B D A V E S O M
U O E S O J A L U K E L J H O N O R A A
E J O A H A H I Z A C E U S A D E V A D
R E U B E N I P I L A H A N O J O R A A
```

PLACES PAUL VISITED

ANTIOCH	ATTALIA	PHILIPPI
SELEUCIA	JERUSALEM	AMPHIPOLIS
CYPRUS	SYRIA	APPOLLONIA
SALAMIS	CILICIA	THESSALONICA
PAPHOS	GALATIA	BEROEA
PERGA	TROAS	ATHENS
PISIDIA	MACEDONIA	CORINTH

T R A O S S E L A I N O D E C A M P A P
C O P R I I N A I C I A I L T T A H S E
I T P I S L D E I L O P I H M G G I N R
L P O P H O S O A R E B E R R R A L E M
I T L O T P E R E L A S L E M S Y I H G
C I L I H I L E R Y S O P A P H O S T A
I D O N I H E B E A C A M H I P O I A A
A N N R E P U E L A P R E D E C A M N R
I I I C A M E O A H O S L L O P P A E Y
T N A H T A N R I E L E A I C U E L E S
A T I A L I S L L E O B S S E H T A E U
I H T A C Y I A A U N R U S T R Y S Y R
T N P A H P I S T D R O R H R I S O H P
A I U R P R A S T T H E E T S T R O O Y
L R A I O I T T A U R E J N A H T R O C
A O C H D O I T I C A I T I L I A N N O
G A L I T A M O R C A M H R A T R U S I
F I S D A N N A P O L L P O S I R Y S T
A I N O R T H E S S A A Y C I L I C S N
P A P S H O H P O L I S Y H C O I T N A

BOOKS OF THE NEW TESTAMENT

MATTHEW
MARK
LUKE
JOHN
ACTS
ROMANS
1 CORINTHIANS
2 CORINTHIANS
GALATIANS
EPHESIANS
PHILIPPIANS
COLOSSIANS
1 THESSALONIANS
2 THESSALONIANS

```
S N O S A I H T M A R K C 2 I T O H T 2
A L U P H R O M A N S R P L A E P H T C
E P H A N A I H T H D N A A H L U H O O
P O Q G C W T A T O Y A N A P L E L G R
H H 1 A 2 T C A H S I A N S H S O H G I
E I C L C L S O E S S I A N S S S P E N
S S H A O P H I W I P P I A S A T S T T
I T T T R O M S A E P H L I N C C N H H
A H N I T H A C N S A O A H O S 1 S E I
N M I A N I R O L S N N H T L H L N R A
S A A N A L H U M I S I T N S J E A E N
A T I S I I K U A H A M A I E H S I M S
M L R A S P I N T H O A L R H N S P 1 S
U I O S S H S A E W T J A O T P H P C O
E H C E P E N L W H T R O C I R A I P L
L P 1 H H S G A A S E H T 1 L O S L A O
A M N T K U M A M O H T 2 C O R A I B C
G A H I L U K E A S E H T 2 T H S H A K
A R O O M A N S T P I A N I L I H P C R
L U J O S N A I N O L A S S E H T 1 C A
```

MORE NEW TESTAMENT BOOKS

1 TIMOTHY
2 TIMOTHY
TITUS
PHILEMON
HEBREWS
JAMES
1 PETER
2 PETER
1 JOHN
2 JOHN
3 JOHN
JUDE
REVELATION

V S E M A J E L N H J T E R H T M I T I

A R C H W A A Y P N N O M E L I H P E J

I L E M A S J M E L A N E O U D U A O O

T I M O T W 2 T S T I R P 2 P E U U A P

1 J J H N E P N R E P 2 J O N M O J 3 P

M O 3 N T R E O B H P O V N A J U T 2 A

O O O J E B T J B E H E O P J D V A T T

T E I P E E T 3 J N R I H A E E E L I O

H P T 2 P H V E L A T I V A J N R V O H

Y V I P 2 N O I T A T E P P H O L E M N

T H M E H E B R L T R E V E L J O R L O

A O M O I H P E T I E T I T U 3 E T I T

L J J N O M V L I H P E E P H T R T H I

E I T I M E H N O J I T I P E T E O P T

T A V E R E V I O E R T E P I O T M T U

V E R M P E T J A M N S I E B M E I I S

A I T I M O V M E L I H P T 2 I P T I M

E O O T I T U E I Y H T O M I T 2 I P H

M J I 2 P E R T L E H E B J P 2 T I M O

3 I P E O T H E W A P N A J 3 D U J D E

BIRTH OF JESUS — MATTHEW 2

JESUS
BORN
BETHLEHEM
JUDEA
WISE MEN
JERUSALEM
KING

STAR
EAST
WORSHIP
HEROD
CHIEF PRIESTS
SCRIBES

WRITTEN
PROPHET
GOVERNOR
ISRAEL
SEARCH
CHILD

J E R U S A L E M A M A N N E M E S I W
S S R S T S E I R P F E I H C I N S O I
E I W E C A E H E R S J U R S R R R N K
H R I R A R U L E R U U E E E L S A D I
C Y M S T A I E N S E D U J E H E L O N
A A N E H T E B E T H A K H C I L D L G
H I E S A G O V E C E A E O H E E L E S
E L S E R R O N C S J U D E A W J I R R
D A V A E S T A E S E P R H I T S H B D
I D N R R C R S E B S R C S E A A C E E
M W O C S O O S E R U J N H R F E I H C
E O T H E R B O R N S M P O R D D R E H
H E V R B E K I N M E O N E N T I R W I
E I A I S H I E D O R R E H C S S R C S
L E O P H E T O R P E D U J R A R A S T
H P O P H T E T E V O O G A N R A T L A
T F E H I C N G O E O R N G O V E N O R
E H P R O P E G E S I E I H R B L A T A
B R W R I I C H L D I H C C I A E R N O
E E P I H S R O W O R P H P T S A E T U

MATTHEW 2 CONTINUED

STAR
JOY
MARY
GOLD
FRANKINCENSE
MYRRH
WARNED
DEPARTED
JOSEPH
FLEE
CHILD
EGYPT
HEROD
DESTROY
FULFILLED
PROPHET
DREAM
GALILEE
NAZARETH
NAZARENE

H	E	R	A	N	Z	S	O	G	A	E	E	L	I	L	A	G	A	E	R
E	M	R	D	E	S	T	R	O	Y	J	O	H	P	S	O	Y	S	E	A
F	A	Z	R	E	T	L	E	T	P	A	G	N	A	R	Y	O	F	L	D
R	R	A	A	T	P	M	A	G	A	L	I	E	F	E	F	J	R	A	E
A	Y	N	Y	M	A	O	R	Y	D	E	O	E	R	L	L	I	F	T	L
N	N	U	R	E	R	I	K	A	F	R	N	C	B	S	O	J	P	H	L
K	A	R	R	Y	R	N	C	D	R	H	C	H	P	E	S	O	J	S	I
I	M	D	E	L	L	E	R	T	S	A	D	E	O	H	P	E	A	R	F
N	L	A	W	H	Y	P	E	T	T	R	H	R	O	M	R	E	T	P	L
C	D	L	A	R	W	H	R	P	A	Y	N	O	S	R	A	T	G	O	U
E	H	I	L	R	P	O	R	O	R	T	Y	D	N	A	E	R	D	L	F
N	O	L	D	O	P	O	B	H	T	D	N	R	O	O	M	T	R	E	E
S	E	A	R	H	I	P	I	P	R	O	W	O	D	L	I	H	C	A	N
E	T	P	E	T	O	Y	D	I	T	P	Y	G	E	A	R	T	H	R	E
E	N	D	A	P	Y	G	O	H	N	Z	K	N	T	Z	E	C	H	C	R
T	G	G	N	A	Z	A	R	A	E	N	I	E	R	E	A	H	R	H	A
N	O	O	N	E	F	P	R	R	E	N	N	C	A	N	C	H	R	E	Z
U	N	L	E	E	L	F	A	T	L	E	O	R	P	E	R	C	Y	T	A
O	N	D	E	N	R	A	W	S	F	U	L	Y	E	O	R	A	M	P	N
N	A	R	A	Z	E	T	H	G	O	V	E	L	D	E	N	A	W	D	W

JOHN THE BAPTIST — MATTHEW 3

JOHN
PREACHING
WILDERNESS
JUDEA
REPENT
KINGDOM
SPOKEN
PROPHET
CRYING
PREPARE
LORD
CAMELS HAIR
LOCUSTS
WILD HONEY
BAPTISED
CONFESSING
MIGHTIER
NOT WORTHY
PHARISEES
SADDUCEES
VIPERS

R I T A M O C E P T T T E S T S U C O L
M E F T A C O T R E E E V I R J O R C T
S P P H H I N H E Y P F T E O O A K S A
T M G E T R F M P H R T P H M H R M U E
I I H R N D E A A T I I H T A N O J K L
E R D I A T S H R R S S E N R E D L I W
W H E P S O S U E O I S E E C U D D A S
R N S H O J I F F W R Y E N O H D L I W
I U I E S H N T E T T H M I G H T I E R
A F T R R W G O O O H R S E E O U D D A
M E P E E O H W H N I S T A H I I T R G
S R A A P I S P H A R I S E E S S A E N
E D B S I T M R H A I Y I R L O E N W I
H E M E V O I S A H N G B L R D P K I H
A A T O D W L W G T E M O D O P S P A C
C A I G N E A R N P K L U T P R H E G A
T H N K M T I N I E O E H O T D D U K E
L I M A C A E O Y D P S A I M U T O H R
K I C O A W E N R E S R T O J J U I E P
P R O P H E T G C W C A T U B A T O N W

JESUS' BAPTISM — MATTHEW 3

JESUS	COMEST	WATER
GALILEE	SUFFER	HEAVENS
JORDAN	BECOMETH	OPENED
JOHN	FULFIL	DOVE
BAPTISED	RIGHTEOUSNESS	VOICE
FORBAD	ANSWERING	BELOVED SON
NEED	STRAIGHTWAY	PLEASED

L V H T E M O C E B Y A L D R E T A W G
R S E S H I M T N E E B W A N S S F A R
U O F S Y B E S I A V T E B D I C L E O
Y N D L E E E D G A O F S R T E I N N D
I T N O O L I L Y O D T E O F L L Y A E
H I W F T O A T L I F L U F E O L I L E
W E C I O V H G I A R D A E N F E D E N
S E A H W E O M E T E R E T S M B E V O
S H R O E D C I N S O U H E A V E N S E
E T Y S H S H H A I Y N D A A T R W V N
N F A O T O R E S E O V A B E R E O I G
S U W R O N L O N U E L R D T S M R T A
U S T F I P G U I D I D O F R O G W S A
O T H D D A W H E E W E U U C O M T E R
E I G U O Y G O T N U S R N R O J N M T
T R I G T F S D I E E I U H T H N H O J
H T A I A Y U O F P N T T F O L L I C E
G H R R S E R D E O D P I W F U U F E S
I T T G N I R E W S N A S D A E L P V U
R S S V O E T R O V A B O F V E R F D S

THE BEATITUDES — MATTHEW 5

MULTITUDES	MEEK	SEE GOD
DISCIPLES	INHERIT	PEACEMAKERS
TAUGHT	RIGHTEOUSNESS	CHILDREN
POOR IN SPIRIT	FILLED	PERSECUTED
HEAVEN	MERCIFUL	EXCEEDING GLAD
MOURN	MERCY	GREAT REWARD
COMFORTED	PURE	HEAVEN

U M O U R N R A R H E O N E V A E H E S
S E E G O D O E W D I S E C H I E E E O
O O M I I P S P T I R I P S N I R O O P
C E X C E E D I N G G L A D S O E R E U
O X P E A C E M A K E R S I H C M R E R
M E E E M A D O G S I T S E L E S W B E
F D A C K I R U I S E A A I R E U N E Y
O G L L I F A K E S R V G H C T E H O K
R R I S T R W E X E E D I U N R E D N E
T L A I H A E V E N E D T I D S S U N E
E E P D C O R M O S U E F L I E C R E M
D E S O F O T O E U D P I H E R R T E E
R T E I S F A C X O E H E A T E I I U R
M E L R C M E E H E C H I D N R O R L Y
Y C P E E R R I N T H D R P T O M E E T
C M I E P E G E I G G I L E N I N H R H
R E C O M M E R C I F U L O U C I N A G
E E S I S E G N I R I G H E E N S I T U
M E I I M U L T I T U D E S O N I I A A
A N D I S P S I N G M H D E L L I F A T

THE LORD'S PRAYER — MATTHEW 6:9-13

FATHER	DAILY	EVIL
HEAVEN	BREAD	THINE
HALLOWED	FORGIVE	KINGDOM
DEBTORS	POWER	WILL
LEAD	GLORY	EARTH
TEMPTATION	AMEN	GIVE
DELIVER	LIVE	

```
G I R T M O U R S R U O P O W E R V A S
I R T R A S R O T B E D R O M D S I W E
V I E A G E L G R E R V E V O L S I I H
A R M L O G F N V E V V A I L U L A B A
T H P E V L O I E F I R T I I L T E E L
H E T V I O G M I A S E R A A E U A B L
M A A T E R D U D T U R Y A N F U E L O
O W T H V Y L A B H E C Y I H L A L P W
D A I T R R B R E E I T H A S R H E Y E
N L O H R C R O A R N T B A T L L U O D
G L N R R H E A V E N D A H E W I G T G
I F E Y A S T I A V I Y L E B U O I O H
K L D D E U H N W L N T S O U R Y V M I
R O E A I O Y A M E N H E R T T H E A M
E R L Y F V L L I V N I M N G I W D R O
D R I V B R E D B M R O D A I L Y O L D
A E V A L E A F O R G I V E I K E H T G
E V E L O E V E A E I P A H O T R U N N
L M R A R A D I B L I V E U O R U O I I
L Y S B L Y E L V I E S S H L D S A V K
```

MATTHEW 14:14-21

JESUS	EVENING	BLESSED
GREAT	DESERT	BRAKE
MULTITUDE	DEPART	DISCIPLES
MOVED	FIVE LOAVES	FILLED
COMPASSION	TWO FISHES	FRAGMENTS
HEALED	BRING	TWELVE
SICK	HITHER	FIVE THOUSAND

```
S I C K E M T G N I R B D E H D E V O M
A I J E S U S F O D R H O R E I R U O C
T W E S T E B N U I R A E P S D M V N E
R R F N S D E L L I F R A M E N U E T V
E V A I L S E H T I G R D S V W L D D E
S H D O V V W E L O T G S L U O T A N N
E E I E L E M T R R S E C H S T I H A I
D T S I E S L W Y N L O R A F W T A S N
H E C I F I D O R B H B J S R G U L U G
E V I G M O V F A L U I T T R E D I O M
N M P E O L A I D V R D M N F O E V H O
O B L O C F W S I M E I E E N R T H T U
I R E L U E E H E A Y S C M I A M E E D
S A S D K W M E F D N A O G N A V R V A
S E T A W I O S O E D M M A E D S I I N
A O R L L I S L L E W T A R M Y G H F R
P B A M T W E L V E W O E F R A O I H E
M E K F I S D A W N N D E R G R E A T T
O Y R E H T I H M E O H T N I G E T M O
C U U E R S O F H E A L E D O S R A S S
```

JESUS RIDES INTO JERUSALEM — MARK 11:2-11

DISCIPLES
VILLAGE
COLT
LORD
NEED
FOUND
TIED
CERTAIN
LOOSING
JESUS
COMMANDED
BROUGHT
GARMENTS
SAT
BRANCHES
FOLLOWED
HOSANNAH
BLESSED
COMETH
ENTERED
JERUSALEM

S	I	D	I	S	C	I	P	L	E	S	C	O	E	G	A	L	L	I	V
A	F	N	T	E	S	T	A	K	U	A	O	H	T	F	O	T	O	F	I
T	A	O	R	I	M	O	T	E	S	W	L	E	T	O	L	L	O	C	L
O	O	G	L	Y	R	E	U	S	A	Y	T	A	A	A	O	U	B	O	B
D	N	R	C	L	S	H	L	O	O	H	T	A	S	O	N	E	T	T	L
G	E	E	D	O	A	Y	N	A	O	A	T	H	S	D	I	L	I	N	O
D	S	N	M	L	L	W	A	S	S	L	C	E	A	S	E	P	E	A	C
E	G	A	R	T	E	N	Y	J	E	U	L	E	M	M	R	E	T	E	N
D	F	G	A	R	M	E	N	T	S	B	R	O	O	O	E	J	I	C	E
N	A	G	L	L	O	L	O	R	D	R	O	E	C	O	C	S	E	E	N
A	L	N	O	L	E	M	D	R	E	J	E	R	J	H	C	O	D	E	D
M	A	I	I	F	W	E	I	G	N	E	A	S	S	U	D	B	L	E	E
M	L	S	N	N	W	A	R	B	A	S	O	N	E	V	E	Y	E	L	E
O	O	O	T	O	I	L	L	J	S	U	E	S	L	I	V	D	A	E	N
C	O	O	L	T	N	E	D	N	E	S	L	Y	O	B	E	R	R	U	S
L	O	L	C	S	S	E	V	E	N	T	E	S	E	H	C	N	A	R	B
O	O	O	O	S	M	O	O	R	R	A	G	S	H	T	C	O	R	B	I
F	L	O	E	L	I	H	A	N	N	A	S	O	H	E	L	S	I	L	E
E	L	D	C	S	S	O	D	E	R	E	T	N	E	K	I	E	M	T	B
C	E	R	T	A	I	N	T	E	Y	V	R	T	H	G	U	O	R	B	E

FAITH — MARK 11:22-24

FAITH
GOD
VERILY
WHOSOEVER
MOUNTAIN
REMOVED
SEA
DOUBT
HEART
BELIEVE
COME TO PASS
WHATSOEVER
DESIRE
PRAY
RECEIVE
SHALL HAVE
FORGIVE
TRESPASSES
NEITHER
FATHER

N E W H S A H S S A P O T E M O C C E R
E E H E E R E B E L O U B O O T O O E E
S E I A T A F A T H E R V U N E M V I V
I L A T R E A L R R E O E E E O E E E E
R L U R H E I R F O R G I V E A R P A O
T A I N A E H E O E E L O V O E P R E S
F H E A T H R E R O M O U N I A T A H T
E S T H R T T E V G O O D S S E N Y R A
V O W B E P A V Y O F A I T H F A G A H
A O H E S G R E A D A S R A A O I P E W
H H O R P I H V R O F A I T H O E E V N
L E V E A R A I E V I A N S E R U R V I
L A C M S M R E O E S M O T I M S V E A
A B A O S I R C S R E O R S O E O T U T
H H S V E H O E I I K L E B E N G B E N
S H A E S L A R E L R D E C E M O U T U
W E U D T H K C A Y P T R A E H N O O O
W H O S O E V E R G S E A H T A H D T M
H K A T N I A E A O C I W E R F O M E O
O E V E I L E B M L L Y B U O D A S I H

TRANSFIGURATION — MATTHEW 17:1-9

JESUS	GOOD	DISCIPLES
PETER	TABERNACLES	AFRAID
JAMES	BEHOLD	TOUCHED
JOHN	CLOUD	ARISE
MOUNTAIN	BELOVED SON	LIFTED
TRANSFIGURED	PLEASE	VISION
MOSES	NEAR	RISEN

I S I O D O O G A E H T M O S E S E A S
N E L U K E B R S I D O E R U G I F P A
V I I S T H E I A R I U S B E H R L E D
J S F I A N R I V D S C O E H A U O T C
O C T O B A C T I G C T S L I V O H E J
H I E N E P M A U J I H A O V E R U R U
N D D E R O R P E E P F T V N E T F O O
E O O A N F E P A S S I A E R E T N A L
V U W L A D O O F U S G B D U O L C Q E
E B N E C M E S J S S U L S E N E U T B
R T H A L I G T I M E R E O S O S E E N
F T O P E T B E H O L D S N S E R U U I
A I J U S E H R E P E L T E L A N H O A
J E W I C A V I S I O N E P E R E A E T
A D E E O H O P E I N G I E V A S O O N
M O H H U L E O L N O C E T L U I F A U
E N T C S E V D E B S E A E P S R M R O
S S T R A E N E D I O N E S A E L P F M
O O A U E D N I D R S C L P E S S M A J
J K M O T R A N S F I G U R E D K R I T

LUKE 17:11-19

JERUSALEM	PRIESTS	JESUS
SAMARIA	CLEANSED	TEN
GALILEE	ONE	WHERE
LEPERS	HEALED	NINE
MASTER	GLORIFIED	STRANGER
MERCY	THANKS	FAITH
SHOW	SAMARITAN	WHOLE

J E R E N O N A E J A E S T S E I R P H
S H H W E C E A S E D E K L A H C O N E
A N A E G L O R I R I E J E S U S V O D
S K A H A T O N K U L R E E L C A S E O
H A L L O L A H T S A M A R I T A N T S
O N W A R D E R W A H P A T H I A N K S
W H E R S A I D H L E P I L E E E N E O
H E A D L A N T O E R O O D A Y A N T E
O N R E D O M E L M S H E W L H F A I T
L L E A E D A A D D E I F O T L G M A S
F A E S S T S M R E F U F N I N I N E A
Y D S K N A T E H I H O H S T R A N G E
C E T H A N N R R T A W E E L I L A G R
R I V E E R E O S A M A R A N T E M A E
E F A L L R L E D S A E N L C R A E H H
M O R C C G I A L I L M E C Y E S R L W
E R P E W R S T R A N G E R M T C Y N H
R G W L E P E R S A M L E P E S R C E E
W S H O P N R E G A R T S N K A H A L P
F A I T H S H O E N I H T A F M A S C R

ZACCHAEUS — LUKE 19:1-10

JESUS
JERICHO
ZACCHAEUS
PUBLICAN
SOUGHT
STATURE
CLIMBED
SYCAMORE
LOOKED
COME DOWN
HOUSE
RECEIVED
JOYFULLY
MURMURED
GUEST
SINNER
HALF TO POOR
FALSE ACCUSATION
FOURFOLD
SALVATION
SEEK AND SAVE

E H O E B R E J E R I C H O N N A M U G
E R O M A C Y S O H R E C E I V E D E R
T R E F O R Y D L Z A C S A T S I R J T
H E H A L F T O P O O R U O H H C H E A
E G A C H B I F R Z A N O O O Y V T S E
S N L E I L D L O F R U O F I T A A U J
U O M F C I O T A V S V D Y O J S A S O
O O J N O I T A S U C C A E S L A F O Y
H H T B J S E E K A N D S A V E A L N F
P E U I C Z N A M O N S M U R L C A O U
N P U B L I C A N F O O T H G O U S I L
A B L N W O D E M O C D H E S I O U T L
N C L I M B E D A C L E E Z A U C E A Y
S C L I T S I T A T S K I B H H E A V Y
A F L S E N H A R H J O Y M U R D H L M
L D E S T G O E E G T O S L U N E C A A
G U O O U P N D B U E L I T E A T C S H
G U E O B N L D U O F Y A F D A C A A A
U O H D I L O O Y S A T Z R A V L Z B R
G T T S I U W U S O S A D E R U M R U M

THE GOOD SAMARITAN — LUKE 10:30-37

JESUS	PRIEST	TWO PENCE
CERTAIN MAN	PASSED	TAKE CARE
JERUSALEM	SAMARITAN	SPENDEST
JERICHO	JOURNEYED	NEIGHBOUR
THIEVES	COMPASSION	SHOWED
STRIPPED	BOUND	MERCY
WOUNDED	INN	LIKEWISE

N	E	I	N	N	M	O	C	E	R	T	A	I	N	M	A	N	A	S	W
E	E	N	I	C	H	E	E	Z	E	A	W	T	R	U	M	E	P	E	J
I	M	I	P	I	R	T	R	C	E	K	O	A	A	C	R	E	U	E	E
S	D	E	Y	E	N	R	U	O	J	E	M	T	O	W	N	S	R	S	R
T	I	P	N	B	O	P	E	M	J	C	A	P	A	D	U	E	C	N	U
W	N	R	E	D	O	E	A	P	E	A	S	N	E	P	S	H	O	E	S
P	A	S	I	O	B	S	P	A	S	R	P	S	L	I	K	S	I	W	A
C	O	M	G	T	P	R	I	S	U	E	T	D	W	H	S	E	O	O	L
E	N	O	H	E	R	D	E	S	S	P	A	E	M	O	C	P	A	U	E
O	S	H	B	W	D	E	S	I	N	I	K	W	O	N	T	E	Y	B	M
W	T	O	O	E	I	W	P	O	L	I	B	I	E	O	U	R	O	N	T
D	W	O	U	S	K	O	M	N	L	S	T	P	O	W	D	E	D	E	H
E	S	I	R	L	I	H	E	R	A	T	O	C	M	A	N	E	E	O	T
D	O	W	O	D	N	S	A	M	R	W	C	E	E	C	P	E	P	E	H
N	U	O	E	D	E	H	T	D	T	W	O	S	R	H	I	L	P	L	R
U	N	A	T	I	R	A	M	A	S	B	O	M	C	O	M	N	I	D	S
O	E	I	R	C	E	R	A	S	E	N	W	E	Y	P	A	O	R	N	A
W	O	R	E	E	I	R	P	R	I	A	R	C	S	S	I	A	T	U	M
E	R	M	A	N	T	R	E	C	R	U	T	H	I	E	V	E	S	O	N
J	E	R	I	C	H	O	I	R	P	A	S	S	E	D	B	U	O	B	O

JOHN 1:1-14

BEGINNING	IN HIM	WITNESS
WORD	LIFE	BELIEVE
WITH GOD	LIGHT	COMETH
WAS GOD	MEN	WORLD
SAME	SHINETH	FLESH
ALL THINGS	DARKNESS	DWELT
MADE BY HIM	JOHN	TRUTH

B	E	G	I	N	N	I	N	G	F	E	I	B	E	N	N	I	N	G	S
K	R	A	D	O	O	H	T	U	R	T	L	F	E	E	B	L	E	B	H
N	S	S	A	W	A	M	W	I	R	A	I	F	A	L	I	L	L	G	I
H	O	T	H	G	I	N	H	T	L	L	A	B	Y	M	I	E	L	I	N
O	L	W	I	H	O	T	R	U	D	L	O	W	O	R	D	E	V	M	E
J	O	M	N	O	T	H	N	E	T	H	S	A	O	C	O	O	V	E	T
B	L	I	E	V	E	D	A	E	N	E	S	S	A	M	G	I	G	E	H
E	M	D	S	W	A	O	U	M	S	H	I	G	N	E	H	W	D	L	R
G	L	T	S	E	E	R	W	E	T	S	N	O	K	R	T	Z	R	H	U
I	B	L	E	L	T	O	T	H	K	R	A	D	R	O	I	W	W	I	T
N	H	J	O	T	R	U	G	O	N	E	I	L	T	E	W	D	N	E	H
D	S	W	A	L	T	I	F	E	M	H	E	R	H	N	I	N	G	S	S
R	E	I	D	O	L	M	S	U	S	G	V	O	I	C	E	L	F	I	E
O	A	T	F	R	Y	C	R	E	N	I	S	S	E	N	K	R	A	D	L
M	S	N	S	E	O	V	L	O	V	L	I	H	T	P	L	E	O	E	P
A	U	R	S	M	B	F	S	U	S	T	L	E	W	D	O	H	N	I	L
M	A	D	E	B	Y	H	I	M	E	J	O	H	A	D	W	E	V	E	E
D	Y	T	N	E	N	H	I	P	R	U	N	E	S	A	M	A	D	E	M
Y	H	T	E	O	H	N	H	G	I	R	O	W	I	L	E	M	O	R	A
B	N	E	S	D	A	R	K	S	G	N	I	H	T	L	L	A	N	G	S

JOHN 5:1-9

JESUS
JERUSALEM
BETHESDA
POOL
MULTITUDE
MOVING
WHOLE
ANGEL
FIRST
CERTAIN MAN
INFIRMITY
SAITH
WILT
RISE
WALK
IMMEDIATELY
SAME DAY
SABBATH
WATERS

E M A C T I S D N A M E L A S U R E J A
S H T I A S A R E J E A S H U E I E F M
S M T M P E M H E E U A W E G N V E P O
A U O M P O E T W S R S Y O B O T P R H
P L F E L E D R O U L T S H F R W O C E
D T I D C E A D O S I E T T P O E O T S
D I N I A M Y T F M E P P A O M I L H E
M T D A T O E H R S E D N B T E Y I R S
D U M T E H L I A W H A I B T N A L I E
N D Y E A R F O A H M I M A B E M A S A
I E F L A N T L R N A W S S L L M O E N
H W F Y I M E H I D T A D A T O E A G A
I A R T H I N A I T T P T L I H N D T D
C H T I E R T G N B A H T L I W A S H Y
E G E N H R H T H A W A D N N I M E I W
U N V E E Y E A L A O D C I D E O H L L
S I A C C E B B L L O M O K H T N T D B
L V N E V A E K D E W M L S Y M E E O E
S O T S R I F H H I E L E G N A E B E N
J M O V T W A T E R S I T I R T H A S A

JESUS DIED — JOHN 19

BEARING
CROSS
GOLGOTHA
PILATE
WROTE
JESUS
KING
HEBREW
GREEK
LATIN
SOLDIERS
CRUCIFIED
GARMENTS
CAST LOTS
MOTHER
DISCIPLE
SCRIPTURE
FULFILLED
THIRST
HYSSOP
FINISHED

P S R E I D L O S T S L O J O H S H R B
I T R E S O W N E T C D H E B U O E T E
K H E F R E R O D A R B I S O Y H T H A
I E R O H T F C A L I N R U T T K A Y R
N F U L F I L L E D P G H S O R N E Y I
G A L G O S O L U F T I M M F O W M A N
A F I N I S H E D I U H A H T O G L O G
N I Y E T L A N D F R G R W C A M A G R
C R O S S U O F I N E O C I R A B E A E
A T H O G Y H I P I L A T E U O S O L E
S H T H M I N E I I T C U R C G I N I K
T H I Y H H I L A T H C R U I F D S C T
L Y T S N I F P I L I L L I F E T R C S
O S O S N O A I R I R I N E I P O T A L
T I N O T E D C F P S T G V E N D D A I
S A H P E C M S A B T H A F D A S T N G
E V R T O U H I E O E Y O N C S O I A S
I N O F C D E D R N R D M T E T T H T I
A R T S E N S T N E M R A G S A T E R A
W A H E B R E W O Y H T F I L T O L I P

JESUS IS RISEN - JOHN 20

FIRST DAY	RISE AGAIN	MASTER
SEPULCHRE	DISCIPLES	TOUCH ME NOT
STONE	MANY	ASCEND
LORD	WEEPING	FATHER
PETER	ANGELS	BRETHREN
LINEN	SAW JESUS	MY GOD YOUR GOD
BELIEVED	SEEKEST	

```
G A I D E V E I L E B E L D V P E D E L
R I S E A G A I N E E T O W E E E R I O
I S A W P D E R S A W O O T S T H N B R
R I A E L I N D I N W U D S O E T R E D
R R M W L S D I G E E C I U I R U I N R
E C Y A J C A G A R N H H E N D V L E B
L L G O N E G N A H Y M Y A M T O H E S
I U O S I D S T O T Y E K E E S T O H F
N P D E M H C U O E D N A M C A O Y I I
E N Y Y A O C E S R R O A E F M A R Y R
N G O N E H T R E B Y T N D I S T O U S
O N U M M A S T E R N A M N J T W R A S
T I R I S G A N K I N G I E O E T E P E
E P G I N T O S E G C S A C P R S T I L
S E O L I N E L S E S O S S A S L S F P
T E D M E E W E T K S M S A S N A A L I
K W E N E B E G I E P S S G S A N M L C
E O O T H N N N A V F I R S T D A Y A S
E T O S I G G A A N G S D O S E P I I I
S E P U L C H R E H A N M A N Y L C S D
```

ACTS 1

LORD
RESTORE
KINGDOM
TIMES
SEASONS
FATHER
POWER

RECEIVE
HOLY GHOST
COME
WITNESS
JERUSALEM
UTTERMOST
EARTH

SPOKEN
TAKEN UP
CLOUD
TWO MEN
LIKE MANNER
SEEN
HEAVEN

B E S P O K E N G N I A T S N O S A E S
J G H P O T S G Y L P U N E K A T N F E
E A E E R O S H P O E T A I T A D A T A
R N A H U G Y O E H R S P O K T T N A M
U Y V T A H L N M S H Y M R O H I L Y S
S W E T V K H E Y R T I M A E O W O P E
A O N I A U T M V I E C A R E E J R Y E
L T T P F A T O E M I T N E C N K D P N
E W A A M A N W I T N E T S G R N O I A
M C L O U D N T K I N S S U E E S T P G
E S O H H E O W N S O P O U P W H R U R
D M I T P H O O E S E A H L Y O E E S E
A Y R N G T B O H E A V N E O P K S Y N
S A E Y A E J M E N L E I O E N I T P N
E E L I I M R E B T O T R E S E G O T A
D O Y N E O E N K I L C N O C O D R P M
H I D B D C D U P W E E R I Y E M E S E
E T I M E S C R M O D G N I K L R T I K
P D E R D E H U T R L T I N G A O E I I
L F I A H O L Y G H O S T O P P O R S L

PETER IN PRISON — ACTS 12

HEROD
PETER
PRISON
SOLDIERS
PRAYER
CHURCH
WITHOUT
GIRD THYSELF

SLEEPING
CHAINS
KEEPERS
ANGELS
LIGHT
QUICKLY
FELL OFF

SANDALS
GARMENT
FOLLOW
GATE
OPENED
DEPARTED
CEASING

H E R O D E V I L K G N I P E E L S M E
E E S R E P E E K I O F N D A P R W W O
L H A O P R C H A N G A A O T Y A I L L
N H T I P E T A G H F U N I W I E T O F
O E A S E I S R E S I E O G L L E H E F
E E M A D E T R A P E D Y E E M E O E O
P N A S A N D A L S E E E K A L M U O L
E E S A F L L H S E N A L I N E S T U L
T H F I N O A Q U Y D I A I I G E C E E
E C L G D P E C A R G F Q A G L N E E F
R I E V I E S L T R A O U G S H I A E I
T W S E R N E G N K P L I L G I T S T N
Q U Y R M E A N E L S L T L I R I I E H
C U H O E D E K M G O O I I L A S N A C
N O T B A A L A R O D W A H R N E G A R
O A D J S L S V A U R F T E I R I G I U
S A R E U S L I G O U I N A G A H G N H
I N I L Y L K C I U Q U H A N E U I H C
R A G O O N O S E M O C R R R N E S A E
P L O S O L D I E R S O E P R A Y E R C

REVELATION 21:1-5

NEW HEAVEN
NEW EARTH
VOICE
DWELL
PEOPLE
GOD
WIPE AWAY
TEARS
NO MORE
DEATH
SORROW
CRYING
PAIN
FORMER
PASSED
THRONE
BEHOLD
WRITE
TRUE
FAITHFUL

D	F	D	W	E	L	L	S	E	D	S	S	A	P	E	C	I	O	V	V
E	A	R	E	O	M	O	N	A	N	E	W	M	R	O	F	R	O	O	O
A	I	G	N	I	Y	I	R	T	E	A	T	H	O	O	O	T	I	R	W
E	H	N	O	U	A	N	R	R	W	R	R	R	V	O	R	C	R	Y	I
L	T	I	O	P	E	P	L	H	H	A	V	E	E	E	M	A	N	N	P
P	F	Y	N	E	T	M	S	E	E	T	R	E	T	E	E	R	V	B	E
O	U	R	E	T	H	E	O	U	A	R	O	I	T	H	R	I	E	V	A
E	L	C	R	M	R	T	N	O	V	P	R	I	B	E	N	H	T	E	W
P	N	W	T	T	O	H	K	L	E	W	B	L	E	C	O	S	L	L	A
T	D	E	T	A	N	I	I	S	N	N	G	T	I	L	S	D	M	E	Y
H	I	W	T	O	E	S	U	E	N	A	O	B	D	O	E	O	O	N	S
E	S	O	U	H	I	S	O	W	E	I	D	A	R	S	T	A	T	N	U
L	D	R	D	N	E	R	H	T	A	L	R	E	S	V	E	R	A	R	T
U	I	R	G	J	H	O	M	E	E	G	R	A	N	E	U	D	N	E	E
F	V	O	R	T	F	R	O	M	E	E	P	E	L	E	W	R	T	A	A
H	A	S	E	U	R	T	H	W	E	R	E	E	P	M	I	E	R	H	R
T	D	N	A	H	T	A	E	D	E	A	R	E	R	O	M	O	N	I	S
I	O	T	R	A	L	E	A	W	J	U	S	V	E	U	N	V	E	E	S
A	W	E	E	N	O	V	L	E	E	S	S	A	S	N	T	A	I	N	O
F	O	R	M	N	E	W	E	A	R	T	H	P	O	W	O	A	R	O	S

Answers

BOOKS OF THE OLD TESTAMENT

N D E T U R Z E U N U M B E R S E R Z E
E E X S D E E Z R U A S E N O O N U E L
H U D E Z O R R C E C H R O N N S T I L
W T U L I P A A S B A H B E R B J H U G
T E S C H S T T W R A I K I R G S O X E
Z R A I N A H E Z I K I S E R B A M U N
E O M N N E W Z M E N E V A S U D O X E
I N U O R N S E R G G O L D L O T N P S
N O E R O O H S S A R I N G O W Y E A I
G M L H E E C E A P E O P L O E A S L S
S Y E C N X E J M L T O B K I N G A M J
U M V E O O B M E T E R I N G A E M A O
C E I N U D R U B M U N E V T I C U S P
I T T O M U M L A S G M O G E V I E P A
T U R K A A I O U S W A R E N E S L S U
I D B I S S T A E L T S P I O L U O A H
V B S O R T I S M L A S P O J B O J L S
E T W W H N U M P B E R H T U R E N O O
L T W O C H R O N I C L E S S S E M A J
S T H E R D E U T I C U S G S E G D U J

MORE BOOKS OF THE OLD TESTAMENT

L A M E N T A T I O N S A H I N A H P E
A S I A H E I N A D A B O S A N M Z E C
L O R H A B A K K U K E J H O I E A T C
A N Y O U H A G I U H A A S B P C C E L
M A L A C H I O S A M I N Y H K C O R E
I O A E O J E R I B D H A A G A H A G S
A E T O S M A R N A E I N I A H U H E I
E Z A H A L A M B E O I I M M E R A Z A
S K E Z E H N O S O A I V A D A C N E S
O E T T C R R B A H A G G A I O H O K T
H L I E L A J O I T A T I O N S A J A E
A P Z F L A M E D S G N O S F O G N O S
H M O C B L A N D U I T I C I I A G A H
A E N A H A H A N G N O S L E L B A A L
I T S M U H A N L H C C E O V E D M O E
M M L I A C O S M A N I J O N A N O J I
E O A C L H A G G I N R P M A L E S O K
R L M I C A H E E A R T I R Z E O H E E
E O I A A I N A D S I A A H E O O A T Z
J S C H M A L I C I A H E R E J O H L E

THE BEGINNING — GENESIS 1

D A R K N E S S G R A F O W H E T L A C
A D T A E R C O R N E R M H E S W I L R
R D R R E V E N A B E A M A R A A W E E
L E U T E M V S S E N E U E B T O S R A
A D A R M S S E B G I V E E E F E L T T
N W M U L O U V E I S S E R G L I T T E
D A H R T A W T G N E A E R T O H A N D
H W A A R T H H R N V E H T R W D A N E
T A S H L A V E L I H G A T E E C A T T
L R A T S E E B O N T C R E T R E A T S
E G R N A E S O O G E V E S E E S U R E
S R G E O D O E G O D E E D N L P O E P
M A R Y M O S U E R G R E E N P U R E E
I H E E L O U S A B E S E B P E E L S L
N T S S H H S R A T S N G O R E S E L A
E A L G H E E G N E I N G O N S E A E H
Y N A R I H G S L S A R K K A V L S C T
A K H E R T E B R E P S A R T R A T R R
E A W E T E R E P S A R G S B E L C I A
H D L I G H T N I N G G L A S S B E L E

NOAH AND THE FLOOD — GENESIS 6-9

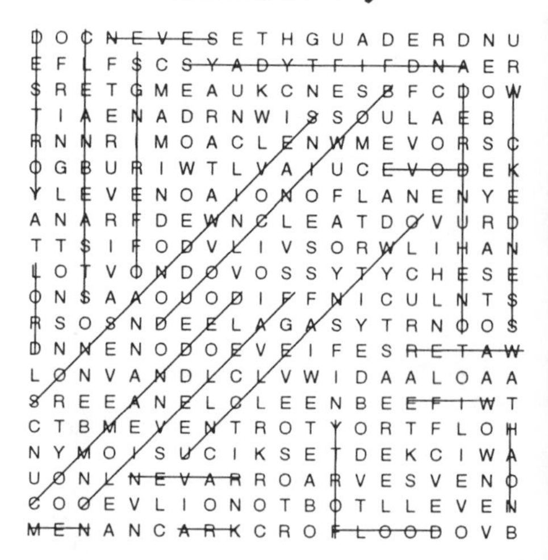

THE TOWER OF BABEL — GENESIS 11:1-9

S E N E R D L I H G R T E A C H T R A E
C N A R I H S U O H C O N F O U N D N A
B A B E L M B O A I H T E R D E N I A R
R E D B A B A T D E H P E M A N A R E S
I H A R I C O O R N E N D E R E O F E H
G A M E S H C O I B A B L E K Y G A M
K V I A R O F O U N U T U G N A L M E N
E E C D B E L L T O E S S O M E A N Y A
G N O M R A O O O R A D O R R H C A E R
A N N E I B A E R E A C D E E E F O R E
U M H A C K L E W S A O R B A D O W N Y
G T T R A I N D E R E R A T T A N T A S
N O T H I N G R A N G U T T A C S U N D
A O G A M G E M O R Y N D R B I H T O N
L V T H A T C R O W D E N I A R T S E R
E A H H T O W E S H E M A G B B R O W E
N E A A N S H I A V O I D N E D L R O W
O H C D O G D E N I G A M I B W E L T O
A S H D O W N E D P O E P L E A B L E T
P E T R N I H S O R E S T T L E W D A B

PROMISE TO ABRAM — GENESIS 12

S I S T E R K G E N O I T A N T A E R G
O C I R D N I P R D N K P S T R P D R Z
N U S A R A I T V V E T E O D A E P B A
T A E A A L S M E E S Y I H T F L L B B
R Y V N B T U Y A L E A V E O A E R E R
R F E C E A S V L L O Y O S G I S E H A
O T N O F R H A S D S L U U T G N A T M
B H T R H R T Y I R D E E P E T F D G I
O R Y E T E E G I D W S Y R E N A R A H
T H F N O F V I L L I G L A S I M K A L
E R I S G U D D L N E D E P E I L A I W
G S V O U N E U I R T T R E H E K A T S
N D E R J D O T B E A Y A W Y H T O G E
E Y E N Y E T E A P R E N O S E O Y N
S H A N D L H N M E T R E T U H T H T A
S E P L O R I M I D E R A E P P A I S A
E L Y U T M E N I H S E W A R A A C A N
L O T R A P K P H A R A O H S E N N A A
B I N F Y O S R I A F H T B T E S R U C
Y N M E T W S S G I N V E A B M R R A S

MOSES IN THE BULRUSHES — EXODUS 2:1-10

S O N E F O M W E R B E H E W A R K A W
O H H T N A T N I R E H T R R I O O
S O O U S E S O M E B A M O G A Y N P M
T O E S V I N P N O N O D O S S E E H A
E F N L E C S I E I E T L E A R R D I N
R E O C N O I S M O Y H G O F O H G A F
M I E I V R I V H T A N M F I D S L R
L O S I E U U M S A W O A E T M L B H E
H S S A N T L G O H E T H E R H T Y I
R A A P A I P N M A C F P I T C H R V E
A H P M I D R E T A W E I C O B C H D B
S I M O V E I A W O P T C M P R K N U E
E C O C M P O N B G E S D A S S I O R S
H T C H D E T C E L F F H G E T G A W S
S P H A R A O H S D A U G H T E R S A N
U Y H M A E R I T L T N R O G R A H E
R L E A N E D E H Y A N B U H I D E V D
L I V N R G I D E R D U A F L E P R E
U L M A N S I G A M D E N E P O S D L A
B D I M O W B A D E N G M A S N E I A M

TEN PLAGUES — EXODUS 7, 8-12

A N O R A A B R O T H E R T H P O O R P
L R O A S R M A H E A G O S W E R B E H
I I E I D P E D T E N I A R R U M S E A
C H C M K A E V D S K S T O S C U B L
D R A E A I N U O H E N E R V R O A A L
B E D F H E T C G S E R N C E E I O M M
E P N D A R K N E S S P E T O M B D B E
I A H M T S B B E A M A A U E M A D T H
F I R S T B O R N C E W R O N G N R D Y
I F H Y R I G O D U O A S A Y S G O M T
R S L I O B N U T N D T D P T T R L I N
S D R I V K O S O I D O R S C S E R I F
G O S H E N F I H A O W E C O U H D L N
O W O E S I T S I L N D E R O C E A R G
S F S L R I V L B R A S T R S O N E T F
R U O E D T F O M L F W P U E L D H L T
I H V P A R R S O R D R U T S W O I U O
V I E O F I C A O S N E O A O L E S I V
R G O O I E U K A T N S H G M S H S S E
D R U Y T C P H A R A O H L S O U E R G

THEY ASK FOR BREAD — EXODUS 16

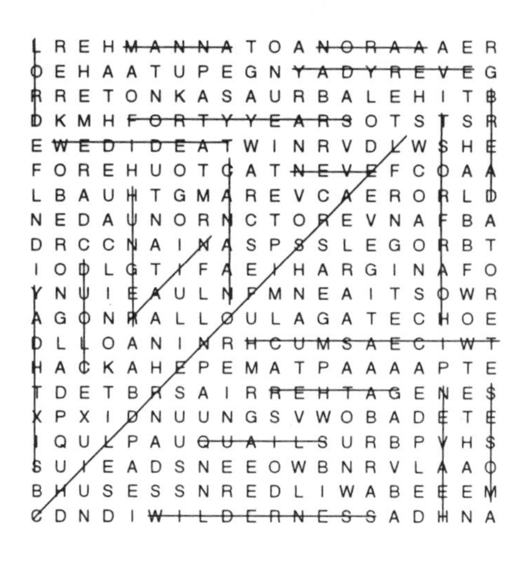

EXODUS 20

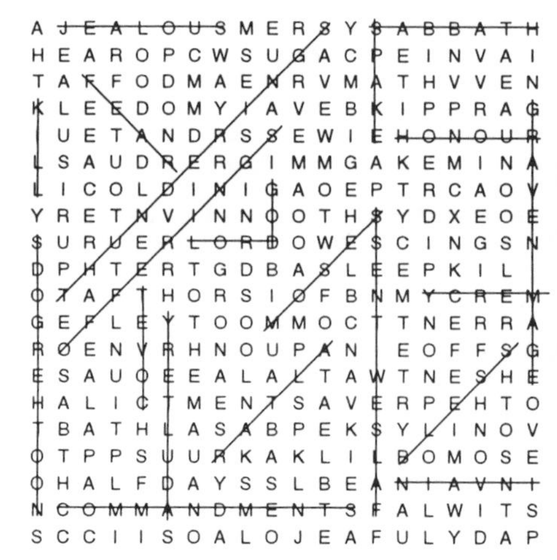

BATTLE OF JERICHO — JOSHUA 6

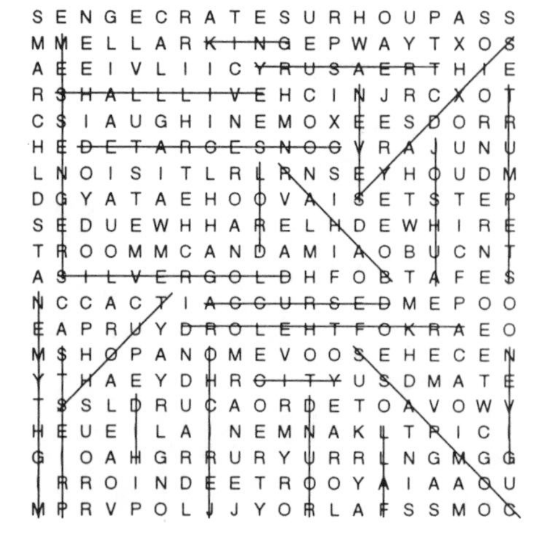

BATTLE OF JERICHO — JOSHUA 6

```
S A I P E O D W E L U I L D A T I O M A
B U R N T Y N U O R N D N O R S P I E S
U U E L P E O P N M E W I G S P B L W C
O F C U R S E D A N V E S U O I W O A A
N G D U K E P M L O I L L E J L R M Y M
I O O B U I L D M I N L C L O L P U O B
A C O U N T R Y O T L E T A B I V E L E
T O A I O C E O M A M T N E R H T E R B
U U T L L I F R S D L H O L D T N O R R
O S E D D O T O F N I U B E E O O E O Y
F A M E Y G M U L U A R S I Y C T N I K
O O I T I O N E O O I T B L O H A S S W
U T U H B U R S R F D R E T R D I R O H
N L E W D W E U O Y R A T P T S U S L D
R E H T W I H W O R R W E O S C A E R E
E E I S A I T E I S S S L P E O P L E R
H S P G U I O S I S S W O R D W E L L D
T U T U N B M S S K I O U E S T C O U N
A A B O I U E T H R N D R D E T Y T R I
F A M L C E A S A E W D D I A M D N I K
```

DAVID AND GOLIATH — 1 SAMUEL 17

C O H A M P I O N H G I L S E V I F R D
D U G L Y G I H P E T H I F D I A R P A
D P I L O N O E M R W S V D A R F I V Y
R A A I O I H A F S R E I L L O G A D I
O M T E H L B E H N I T N A E H I V A D
W P H I H S R U C H A M G O T S W O R T
S I N I L S H E P A L O G P M A H C R F
A L O R D O F H O S T S O Y Z D O G S R
S L I G N P H I T S G I D L I O T H I A
S P P I T R U H S A L E M E D W S W A I
E T I M O I L E P E T E R D A N H A V D
T S E E H S H A A D F I E V D G E M L S
I T L U E S B D I A R S A U E P E S O H
L I O M E I E H C U R D S I L I P H S T
E S E N O T A S A U E A D H I S T S M A
A E O G N I R U C T H G L I O N H T A I
R T J E R U S A L E M A U U G I F U L L
S I I T V A D A S E T I A L R A R S I O
I L P H I L I S T I N E S P A E B P O G
S E U L F O D R O L P E H S J E J E R U

PSALM 23

E R E S T O R E T H S U O H T E D A E L
C U N H E R U N E H L S P E R D W E N L
Y N W A T R S A W N T A L E B A A B U S
F N W D W E M O D A H S H C O M F O R T
O E N O I N L E D E T S E O H U G O U A
R T A W E L E A D L T E H M D O O S N D
T H W F O L L T N O W N C R E M O H N O
A D E F P O T S E R H D A E N R N A T W
B A S H E P H E R D G O O D Y R C D H S
S E H E S H L E W A N O I O S T M Y C E
H N A H E L E T E R O G T S E R F E A R
A E O P E O A R A E O B L D E A E E U U
D M W W A T D R T S E T N I O N A N R T
A E D A H H S A B O R T F O C O N R E S
E N A U H O S E I M E N E E H T E S S A
O E A E L E A T H D E L L E H T U S A P
R H E A D I E N E M E E B E S O R H A A
E M H L W D O O G E H E A S H A D W O S
T W A N T R U N N S R E T A W T O U R T
H T E D A E F N E S U O E L B M E E N E

PSALM 27

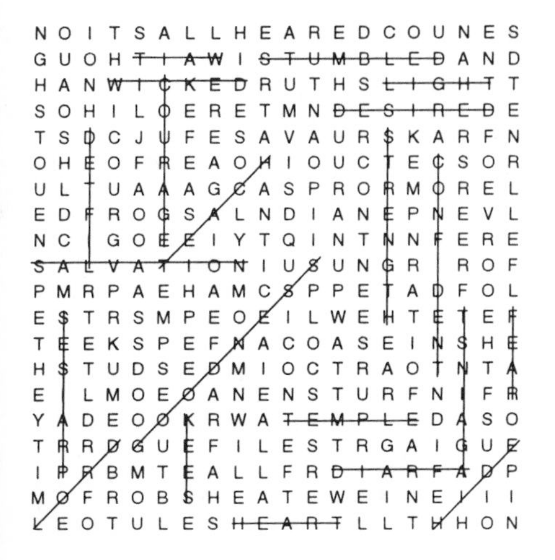

A TIME TO — ECCLESIASTES 3:1-8

M I T K C U P U R O D A E R T N A P U P
N N E B H T D A H T N A L P E R H T E V
I G I R E O H A T I R S L I E H G I R E
N T O E W E V H G M E A V A S I T N E I
I T H A R O D I V E T D E V A S E A I D
D N E K T U E O F N W B P U R P O S E I
L O O D E X O J N E O A L S E I N R E E
I G M O U R N I E R W N U F O T E C P H
E F E W I C I P C T O R C R E P E A E E
A X V N L S E D E H E A K A N F U V I A
I T H O L D E T H E U K N I E P L P A V
O N I B U I L D U P P O S T L A H W L E
S D H S H P H A T H T B D A N C E V E N
U A N G W A P R V N D H U A L E Y A N A
S N U T T S U I A S E N T D N S M T I D
P A I V E O A N L I T E U R A N R O B T
L I R L E U L R E G N I A N D B D I L O
E U A T E R N U A H A N K O E P G L A M
E E S H S D U O B L L D O O G I I N I T
H O O P W R E T T E P P W L J K I L Y R

A TIME TO — ECCLESIASTES 3:1-8

B E E S O R L O E H T A G T S A C Y A W
T H E W A S I L E N C E E L I S S A C A
I E R D C I I S E P A W A S O N Y L A T
G A T H E R S T O N E S E E R E O T S V
A B A F M A P I M I T O S I H S E O S E
T T T A B R C M E E T T A T E H T V E R
E F H E R O F W A R H S O G N I Y R N I
A C T R A I T A R E W O E Y T S A C O J
J E S Y C O R P H F E L V W O S C A T C
E L O V E D M I E F A C T E R A G O S E
S U O L A U G R Y A W A T S A C O D Y D
U V O V E S D O F R O S N E A T K E A O
S E U A P E A C E Y U H M S H E H T W G
I S E A E M E B R F L D T A E F I L A O
L P E A A N D F A E N O Y P O T E M T O
S P E A K R O D J R I J O R E R S B S Y
S A S S J E W N C O F E A O G E D A A L
D N U E S A B E S E E C G U D O P S C I
O F A H R B E R E F R A I N O Y O C O F
U R T E G F O T I M E G L L U P I S H C

DANIEL IN LION'S DEN — DANIEL 6

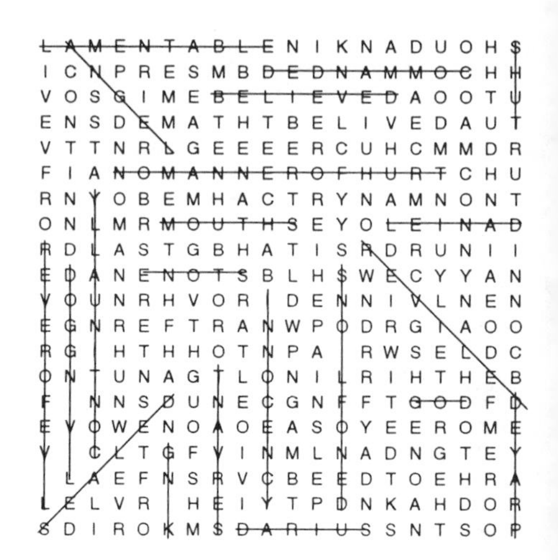

JONAH — CHAPTERS 1-3

B E B E L I E V E D E T D E T I M O V J
T N N I N V H A P P O J E S I P H S O G
L E E W H S W S P R E K E O J A H H M R
S P M E P Y E T T E G E R G V I T I N E
O W E P R E N R V O A E H R P E O I I A
D O R C E A W P G R L R T E E C P L N T
R L C H A S N O O W O T L W A W W S E F
K L S A C N T O D S A E S N L T T A Y I
C A A S H S C R O E B N G A A U U L A S
O W T L E O E M F A F E D O C B E F H H
W S W A D M R T H E L O O A A C U O R L
A F R A I D D A E R U O G W E H T H O U
A A E P E S E L A A F T Y L W L W S Y E
S T S M T R I G V F I H H E E D L I E R
C C A L P O T H E E C A T D N R O H S D
A A O O E S U E N N R O L U E L H S W E
L E B P M E Y J O E E T L R V T F R A W
M S R L T O P U N R M F A A V E O A O O
E N C E J O N A H E Y E C A S T R T W R
S H T A R J H S I H S L S A N E V A E H

A's OF THE BIBLE

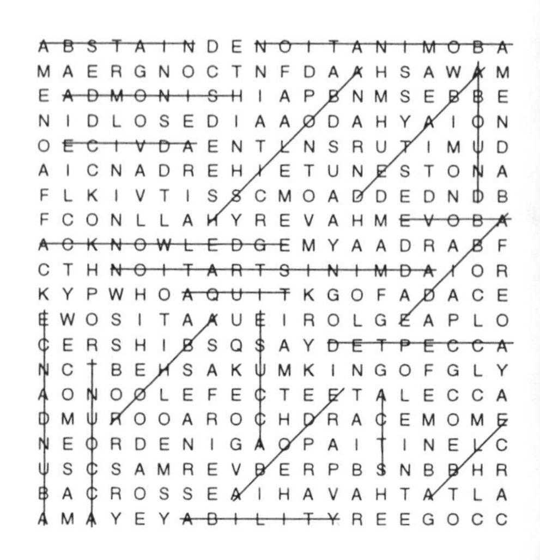

B's OF THE BIBLE

S D I L K C A B A D E B A T O D L H E B

E R K A B O B A L N C E M S I T P A B L

B A D L E P E C B E E N B E G U I A E I

A B E A F E L K E E R R A F E B T R H N

K R A B A R V S L O G N R U B T R O O K

E E B A L O D L O H E B M A L A A B L B

R A E L L A N I N B R A Y U B A B A E A

N K A B B A N D E A S S B A R G E G D B

E B A T T L E I T T A R S B N A U G E E

T E T A F E B N T T A K E I A I T G O H

G B A S K T E G O L E G N L L R R B H O

E G E T U A E B G T U N B E N I E E E D

B U Y T T A B A E B I B E F N L N L B L

E I Y K R A B C B G I E Y N A E N I E D

C L D B L A E K E S U G T B A L A U F N

N E N A R B Y B G N N A U O Y E B G E O

A N A D E E M L I T E N A N I S M E L Y

L N L L B T L B I N P E E B I R T B A E

A A E E G A A R B E B B B E T K S A B B

B B B L O B B V G B A R D E V O L E B S

L's OF THE BIBLE

T's OF THE BIBLE

N A C L E T H R O D E L C A N R E B A T

E T T O W R E W O T R U S L R A I L L A

B R E A T H A V H E A P A P T O U C H L

T A G S C N A H T N T I N T H I R S T E

H I N T T I M O U S R E T Y C A R T R N

A T A R R A I N R T U T H P L U I R T T

T O A S T I M O T O Y H U R T U C U H E

N R O C R H T E S N E R M E T H R U U N

A C H I K T A B N L E O S A P S E T R T

N H O L T A V A R T O N W Y K N A H T Y

O R R A T A L O N G T E H R O H U I R T

I A R T R I U M P H T S I R T E A M H A

T I I M E S T E A R M E R I O U L I A B

A A T H I N K I E O C L A I M R W O T L

T H A H N K T S E M O H C A E T R U R E

P O L A E N P H O R T I M E L E S S I T

M N A N I A G N I V I G S K N A H T A N

E T N E S D A R K I A V S E R T O M E B

T U T S R I N C O R R E C T N A M E E L

U G N O T A R R Y E S T E O H C A E T A

WEIGHTS AND MEASURES BIBLICAL UNITS

M H A E S S T I L G L O H T A P E G A S

I E T E N A T A L E N T A T N U O E M A

N A P A A A C N H O C T E L I M I R I H

B R O N L U L I F E H I M T I K M G P I

R T E M S P A M N I B R E A K E B O M L

E H T I E T H E N K C O L S A H R M O E

G A E R B R B D N A H R E D T H E I N M

I A L E N A P B K A E T N D L A T M A A

H I M H E K E P L O G R A E H E S A H D

S A H P A B H A T O G E R C O Y I H T A

H A N S P E S M E M R O E C O B E T V E

A S H E K E L B A B A H T H T A A V I R

K H S E L B H T D S T N D S B R T T R R

L E R O C I N N R E M I N N A P S A H T

T A G E P A A L L A B H Y H T B D N A R

I E L K E H S E T H O U I T N A W O A O

B S H A R I A M C N A P B D G O T G K P

U N I R E E M S E A R P U N E N A T E I

C E M W G E R A I T B U C A D I Y A B N

B T N E L M I H C H T E L H L L A P I P

BIBLE GEOGRAPHY

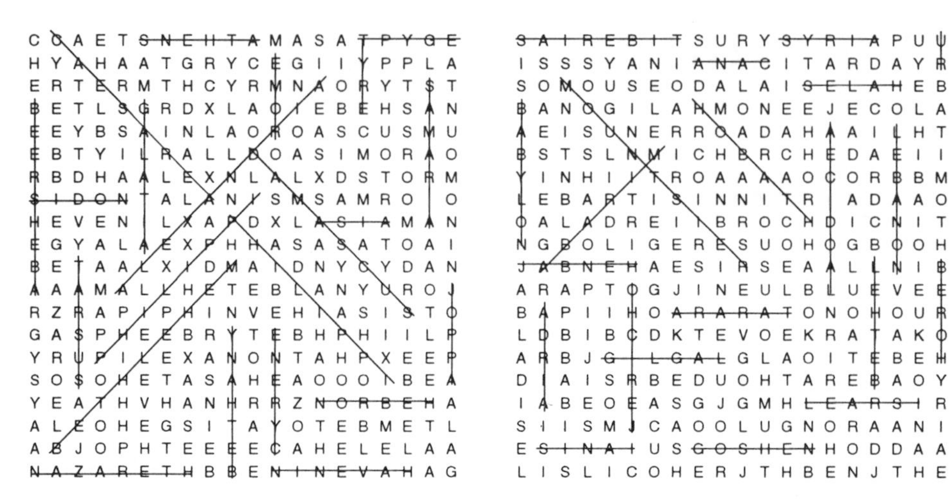

BIBLE GEOGRAPHY

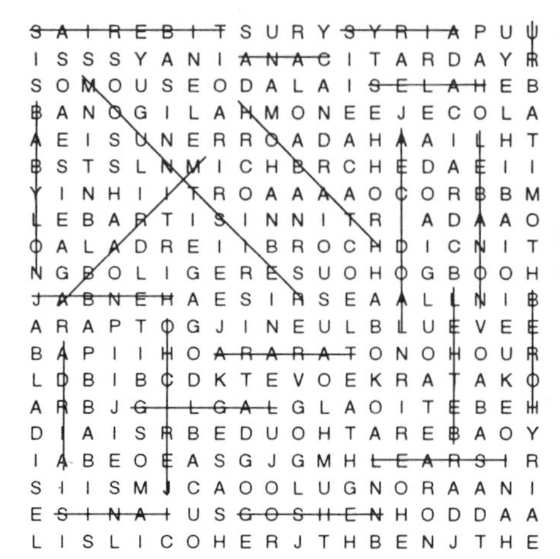

MEN OF THE BIBLE

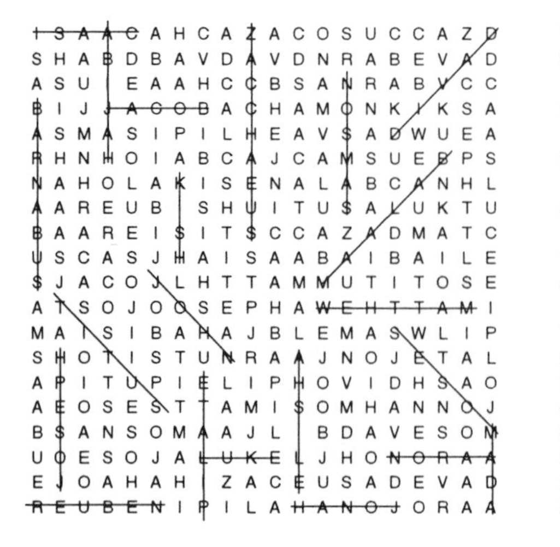

PLACES PAUL VISITED

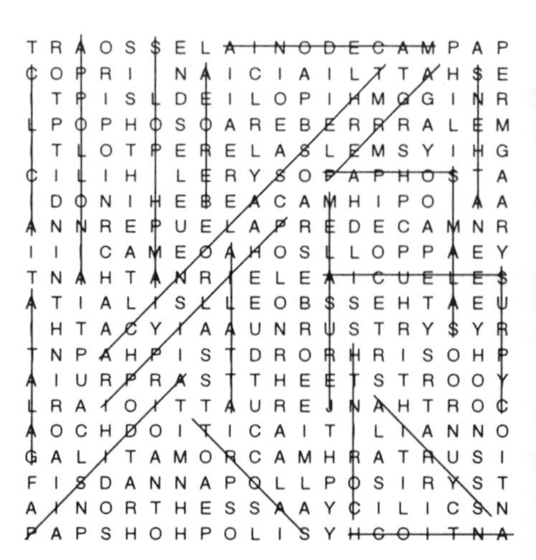

BOOKS OF THE NEW TESTAMENT

```
S N O S A I H T M A R K C 2 I T O H T 2
A L U P H R O M A N S R P L A E P H T C
E P H A N A I H T H D N A A H L U H O O
P O Q G C W T A T O Y A N A P L E L G R
H H I A 2 T C A H S I A N S H S O H G I
E I C L C L S O E S S I A N S S S P E N
S S H A O P H I W I P P I A S A T S T T
I T T T R O M S A E P H L I N C C N H H
A H N I T H A C N S A O A H O S I S E I
N M I A N I R O L S N N H T L H L N R A
S A A N A L H U M I S I T N S J E A E N
A T I S I I K U A H A M A I E H S I M S
M L R A S P I N T H O A L R H N S P I S
U I O S S H S A E W T J A O T P H P C O
E H C E P E N L W H T R O C I R A I P L
L P I H H S G A A S E H T I L O S L A O
A M N T K U M A M O H T 2 C O R A I B C
G A H I L U K E A S E H T 2 T H S H A K
A R O O M A N S T P I A N I L I H P C R
L U J O S N A I N O L A S S E H T 1 C A
```

MORE NEW TESTAMENT BOOKS

```
V S E M A J E L N H J T E R H T M I T I
A R C H W A A Y P N N O M E L I H P E J
I L E M A S J M E L A N E O U D U A O O
T I M O T W 2 T S T I R P 2 P E U U A P
I J J H N E P N R E P 2 J O N M O J 3 P
M O 3 N T R E O B H P O V N A J U T 2 A
O O O J E B T J B E H E O P J D V A T T
T E I P E E T 3 J N R I H A E E E L I O
H P T 2 P H V E L A T I V A J N R V O H
Y V I P 2 N O I T A T E P P H O L E M N
T H M E H E B R L T R E V E L J O R L O
A O M O I H P E T I E T I T U 3 E T I T
L J J N O M V L I H P E E P H T R T H I
E I T I M E H N O J I T I P E T E O P T
T A V E R E V I O E R T E P I O T M T U
V E R M P E T J A M N S I E B M E I I S
A I T I M O V M E L I H P T 2 I P T I M
E O O T I T U E I Y H T O M I T 2 I P H
M J I 2 P E R T L E H E B J P 2 T I M O
3 I P E O T H E W A P N A J 3 D U J D E
```

BIRTH OF JESUS — MATTHEW 2

```
J E R U S A L E M A M A N N E M E S I W
S S R S T S E I R P F E I H C I N S O I
E I W E C A E H E R S J U R S R R R N K
H R I R A R U L E R U U E E E L S A D I
C Y M S T A I E N S E D U J E H E L O N
A A N E H T E B E T H A K H C I L D L G
H I E S A G O V E C E A E O H E E L E S
E L S E R R O N C S J U D E A W J I R R
D A V A E S T A E S E P R H I T S H B D
I D N R R C R S E B S R C S E A A C E E
M W O C S O O S E R U J N H R F E I H C
E O T H E R B O R N S M P O R D D R E H
H E V R B E K I N M E O N E N T I R W I
E I A I S H I E D O R R E H C S S R C S
L E O P H E T O R P E D U J R A R A S T
H P O P H T E T E V O O G A N R A T L A
T F E H I C N G O E O R N G O V E N O R
E H P R O P E G E S I E I H R B L A T A
B R W R I I C H L D I H C C I A E R N O
E E P I H S R O W O R P H P T S A E T U
```

MATTHEW 2 CONTINUED

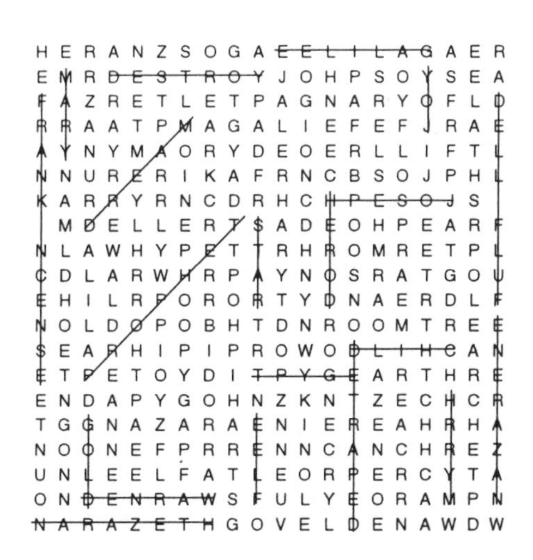

JOHN THE BAPTIST — MATTHEW 3

```
R I T A M O C E P T T T E S T S U C O L
M E F T A C O T R E E E V I R J O R C T
S P P H H I N H E Y P F T E O O A K S A
T M G E T R F M P H R T P H M H R M U E
I I H R N D E A A T I I H T A N O J K L
E R D I A T S H R R S S E N R E D L I W
W H E P S O S U E O I S E E C U D D A S
R N S H O J   F F W R Y E N O H D L I W
I U I E S H N T E T T H M I G H T I E R
A F T R R W G O O O H R S E E O U D D A
M E P E E O H W H N I S T A H I I T R G
S R A A P I S P H A R I S E E S S A E N
E D B S   T M R H A I Y I R L O E N W I
H E M E V O I S A H N G B L R D P K I H
A A T O D W L W G T E M O D O P S P A C
C A I G N E A R N P K L U T P R H E G A
T H N K M T I N   E O E H O T D D U K E
L I M A C A E O Y D P S A I M U T O H R
K I C O A W E N R E S R T O J J U I E P
P R O P H E T G C W C A T U B A T O N W
```

JESUS' BAPTISM — MATTHEW 3

```
L V H T E M O C E B Y A L D R E T A W G
R S E S H I M T N E E B W A N S S F A R
U O F S Y B E S I A V T E B D I C L E O
Y N D L E E E D G A O F S R T E I N N D
I T N O O L I L Y O D T E O F L L Y A E
H I W F T O A T L I F L U F E O L I L E
W E C I O V H G I A R D A E N F E D E N
S E A H W E O M E T E R E T S M B E V O
S H R O E D C I N S O U H E A V E N S E
E T Y S H S H H A I Y N D A A T R W V N
N F A O T O R E S E O V A B E R E O I G
S U W R O N L O N U E L R D T S M R T A
U S T F I P G U I D I D O F R O G W S A
O T H D D A W H E E W E U U C O M T E R
E I G U O Y G O T N U S R N R O J N M T
T R   G T F S D I E E   U H T H N H O J
H T A I A Y U O F P N T T R O L L I C E
G H R R S E R D E O D P I W R U U F E S
  T T G N I R E W S N A S D A E L P V U
R S S V O E T R O V A B O F V E R F D S
```

THE BEATITUDES — MATTHEW 5

```
U M O U R N R A R H E O N E V A E H E S
S E E G O D O E W D I S E C H I E E E O
O O M I I P S P T I R I P S N I R O O P
C E X C E E D I N G G L A D S O E R E U
O X P E A C E M A K E R S I H C M R E R
M E E E M A D O G S I T S E L E S W B E
F D A C K I R U I S E A A I R E U N E Y
O G L L I F A K E S R V G H C T E H O K
R R I S T R W E X E E D I U N R E D N E
T L A I H A E V E N E D T I D S S U N E
E E P D C O R M O S U E F L I E C R E M
D E S O F O T O E U D P I H E R R T E E
R T E I S F A C X O E H E A T E I   U R
M E L R C M E E H E C H I D N R O R L Y
Y C P E E R R I N T H D R P T O M E E T
C M I E P E G E I G G I L E N I N H R H
R E C O M M E R C I F U L O U C I N A G
E E S I S E G N I R I G H E E N S   T U
M E I I M U L T I T U D E S O N I I A A
A N D I S P S I N G M H D E L L I F A T
```

THE LORD'S PRAYER — MATTHEW 6:9-13

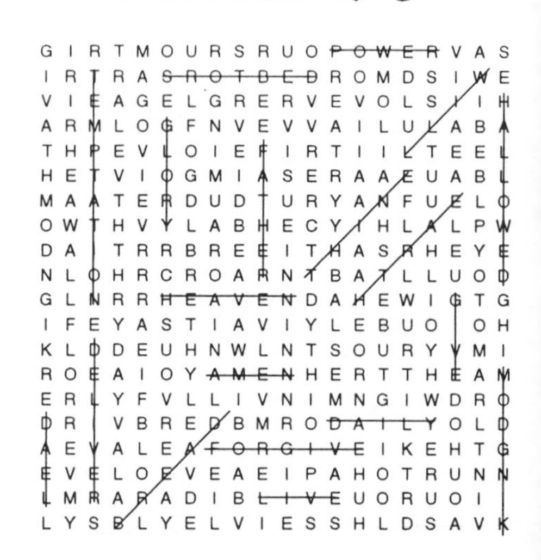

MATTHEW 14:14-21

```
S I C K E M T G N I R B D E H D E V O M
A I J E S U S F O D R H O R E I R U O C
T W E S T E B N U I R A E F S D M V N E
R R F N S D E L L I F R A M E N U E T V
E V A I L S E H T I G R D S V W L D D E
S H D O V V W E L O T G S L U O T A N N
E E I E L E M T R R S E C H S T I H A I
D T S I E S L W Y N L O R A F W T A S N
H E C I F I D O R B H B J S R G U L U G
E V I G M O V F A L U I T T R E D I O M
N M P E O L A I D V R D M N F O E V H O
O B L O C F W S I M E I E E N R T H T U
I R E L U Z E H E A Y S C M I A M E E D
S A S D K W M E F D N A O G N A V R V A
S E T A W I O S O E D M M A E D S I I N
A O R L L I S L L E W T A R M Y G H F R
P B A M T W E L V E W O E F R A O I H E
M E K F I S D A W N N D E R G R E A T T
O Y R E H T I H M E O H T N I G E T M O
C U U E R S O F H E A L E D O S R A S S
```

JESUS RIDES INTO JERUSALEM — MARK 11:2-11

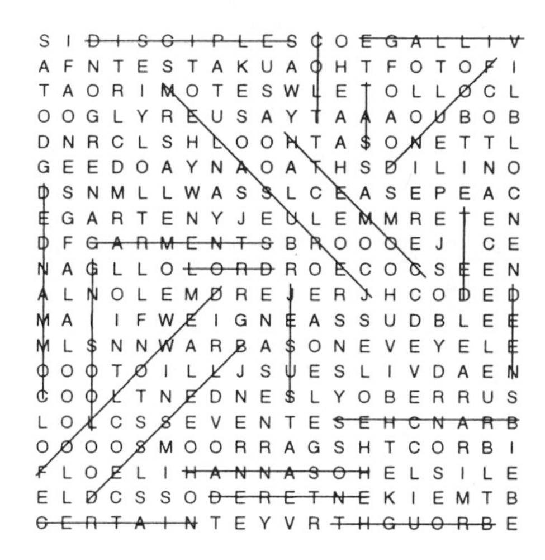

FAITH — MARK 11:22-24

```
N E W H S A H S S A P O T E M O C C E R
E E H E E R E B E L O U B O O T O O E E
S E I A T A F A T H E R V U N E M V I Y
I L A T R E A L R R E O E E E O E E E E
R L U R H E I R F O R G I V E A R P A O
T A I N A E H E O E E L O V O E P R E S
F H E A T H R E R O M O U N I A T A H T
E S T H R T T E V G O O D S S E N Y R A
V O W B E P A V Y O F A I T H F A G A H
A O H E S G R E A D A S R A A O I P E W
H H O R P I H V R O F A I T H O E E V N
L E V E A R A I E V I A N S E R U R V I
L A C M S M R E O E S M O T I M S V E A
A B A O S I R C S R E O R S O E O T U T
H H S V E H O E I I K L E B E N G B E N
S H A E S L A R E L R D E C E M O U T U
W E U D T H K C A Y P T R A E H N O O O
W H O S O E V E R G S E A H T A H D T M
H K A T N I A E A O C I W E R F O M E O
O E V E I L E B M L L Y B U O D A S I H
```

TRANSFIGURATION — MATTHEW 17:1-9

```
I S I O D O O G A E H T M O S E S E A S
N E L U K E B R S I D O E R U G I F P A
V I I S T H E I A R I U S B E H R L E D
J S F I A N R I V D S C O E H A U O T C
O C T O B A C T I G C T S L I V O H E J
H I E N E P M A U J I H A O V E R U R U
N D D E R O R P E E P F T V N E T F O O
E O O A N F E P A S S I A E R E T N A L
V U W L A D O O F U S G B D U O L C Q E
E B N E C M E S J S S U L S E N E U T B
R T H A L I G T I M E R E O S O S E E N
F T O P E T B E H O L D S N S E R U U I
A I J U S E H R E P E L T E L A N H O A
J E W I C A V I S I O N E P E R E A E T
A D E E O H O P E I N G I E V A S O O N
M O H H U L E O L N O C E T L U I F A U
E N T C S E V D E B S E A E P S R M R O
S S T R A E N E D I O N E S A E L P F M
O O A U E D N I D R S C L P E S S M A J
J K M O T R A N S F I G U R E D K R I T
```

LUKE 17:11-19

```
J E R E N O N A E J A E S T S E I R P H
S H H W E C E A S E D E K L A H C O N E
A N A E G L O R I R I E J E S U S V O D
S K A H A T O N K U L R E E L C A S E O
H A L L O L A H T S A M A R I T A N T S
O N W A R D E R W A H P A T H I A N K S
W H E R S A I D H L E P I L E E E N E O
H E A D L A N T O E R O O D A Y A N T E
O N R E D O M E L M S H E W L H F A I T
L L E A E D A A D D E I F O T L G M A S
F A E S S T S M R E F U F N I N I N E A
Y D S K N A T E H X H O H S T R A N G E
C E T H A N N R R T A W E E L I L A G R
R I V E E R E O S A M A R A N T E M A E
E F A L L R L E D S A E N L C R A E H H
M O R C C G I A L I L M E C Y E S R L W
E R P E W R S T R A N G E R M T C Y N H
R G W L E P E R S A M L E P E S R C E E
W S H O P N R E G A R T S N K A H A L P
F A I T H S H O E N I H T A F M A S C R
```

ZACCHAEUS —LUKE 19:1-10

THE GOOD SAMARITAN — LUKE 10:30-37

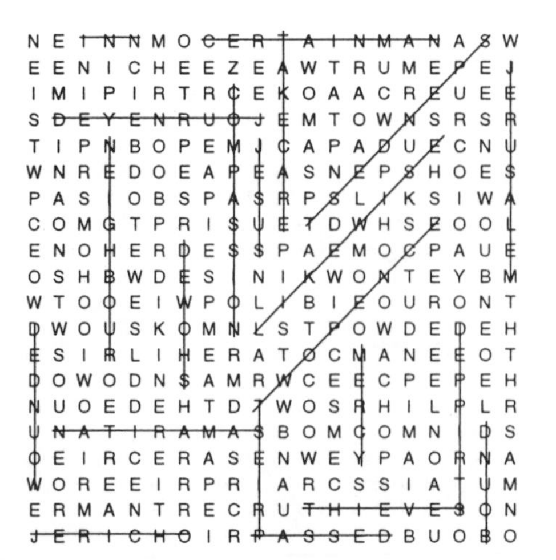

JOHN 1:1-14

```
B E G I N N I N G F E I B E N N I N G S
K R A D O O H T U R T L F E E B L E B H
N S S A W A M W I R A I F A L I L L G I
H O T H G X N H T L L A B Y M I E L I N
O L W I H O T R U D L O W O R D E V M E
J O M N O T H N E T H S A O C O O V E T
B L I E V E D A E N E S S A M G I G E H
E M D S W A O U M S H I G N E H W D L R
G L T S E E R W E T S N O K R T Z R H U
I B L E L T O T H K R A D R O I W W I T
N H J O T R U G O N E I L T E W D N E H
D S W A L T I F E M H E R H N I N G S S
R E I D O L M S U S G V O I C E L F I E
O A T F R Y C R E N I S S E N K R A D L
M S N S E O V L O V L I H T P L E O E P
A U R S M B F S U S T L E W D O H N I L
M A D E B Y H I M E J O H A D W E V E E
D Y T N E N H I P R U N E S A M A D E M
Y H T E O H N H G I R O W I L E M O R A
B N E S D A R K S G N I H T L L A N G S
```

JOHN 5:1-9

E M A C T I S D N A M E L A S U R E J A
S H T I A S A R E J E A S H U E I E F M
S M T M P E M H E E U A W E G N V E P O
A U O M P O E T W S R S Y O B O T P R H
P L F E L E D R O U L T S H F R W O C E
D T I D C E A D O S I E T T P O E O T S
D I N I A M Y T F M E P P A O M I L H E
M T D A T O E H R S E D N B T E Y I R S
D U M T E H L I A W H A I B T N A L I E
N D Y E A R F O A H M I M A B E M A S A
I E F L A N T L R N A W S S L L M O E N
H W F Y I M E H I D T A D A T O E A G A
I A R T H I N A I T T P T L I H N D T D
C H T I E R T G N B A H T L I W A S H Y
E G E N H R H T H A W A D N N I M E I W
U N V E E Y E A L A O D C I D E O H L L
S I A C C E B B L L O M O K H T N T D B
L V N E V A E K D E W M L S Y M E E O E
S O T S R I F H H I E L E G N A E B E N
J M O V T W A T E R S I T I R T H A S A

JESUS DIED — JOHN 19

P S R E I D L O S T S L O J O H S H R B
I T R E S O W N E T C D H E B U O E T E
K H E F R E R O D A R B I S O Y H T H A
I E R O H T F C A L I N R U T T K A Y R
N F U L F I L L E D P G H S O R N E Y I
G A L G O S O L U F T I M M F O W M A N
A F I N I S H E D I U H A H T O G L O G
N I Y E T L A N D F R G R W C A M A G R
C R O S S U O F I N E O C I R A B E A E
A T H O G Y H I P I L R I K U O S O L E
S H T H M I N E I I T C U R C G I N I K
T H I Y H H I L A T H C R U I F D S C T
L Y T S N I F P I L I L L I F E T R C S
O S O S N O A I R I R I N E I P O T A L
T I N O T E D C F P S T G V E N D D A I
S A H P E C M S A B T H A F D A S T N G
E V R T O U H I E O E Y O N C S O I A S
I N O F C D E D R N R D M T E T T H T I
A R T S E N S T N E M R A G S A T E R A
W A H E B R E W O Y H T F I L T O L I P

JESUS IS RISEN — JOHN 20

ACTS 1

B E S P O K E N G N I A T S N O S A E S
J G H P O T S G Y L P U N E K A T N F E
E A E E R O S H P O E T A I T A D A T A
R N A H U G Y O E H R S P O K T T N A M
U Y V T A H L N M S H Y M R O H I L Y S
S W E T V K H E Y R T I M A E O W O P E
A O N I A U T M V I E C A R E E J R Y E
L T T P F A T O E M I T N E C N K D P N
E W A A M A N W I T N E T S G R N O I A
M O L O U D N T K I N S S U E E S T P G
E S O H H E O W N S O P O U P W H R U R
D M I T P H O O E S E A H L Y O E E S E
A Y R N G T B O H E A V N E O P K S Y N
S A E Y A E J M E N L E I O E N I T P N
E E L I I M R E B T O T R E S E G O T A
D O Y N E O E N K I L C N O C O D R P M
H I D B D C D U P W E E R I Y E M E S E
E T I M E S C R M O D G N I K L R T I K
P D E R D E H U T R L T I N G A O E I I
L F I A H O L Y G H O S T O P P O R S L

PETER IN PRISON — ACTS 12

H E R O D E V I L K G N I P E E L S M E

E E S R E P E E K I O F N D A P R W W O

L H A O P R C H A N G A A O T Y A I L L

N H T I P E T A G H F U N I W I E T O F

O E A S E I S R E S I E O G L L E H E F

E E M A D E T R A P E D Y E E M E O E O

P N A S A N D A L S E E E K A L M U O L

E E S A F L L H S E N A L I N E S T U L

T H F I N O A Q U Y D I A I I G E C E E

E C L G D P E C A R G F Q A G L N E E F

R I E V I E S L T R A O U G S H I A E I

T W S E R N E G N K P L I L G I T S T N

Q U Y R M E A N E L S L T L I R I I E H

C U H O E D E K M G O O I I L A S N A C

N O T B A A L A R O D W A H R N E G A R

O A D J S L S V A U R F T E I R I G I U

S A R E U S L I G O U I N A G A H G N H

I N I L Y L K C I U Q U H A N E U I H C

R A G O O N O S E M O C R R R N E S A E

P L O S O L D I E R S O E P R A Y E R C

REVELATION 21:1-5

D F D W E L L S E D S S A P E O I O V V

E A R E O M O N A N E W M R O F R O O O

A I G N I Y I R T E A T H O O O T I R W

E H N O U A N R R W R R R V O R C R Y I

L T I O P E P L H H A V E E E M A N N P

P F Y N E T M S E E T R E T E E R V B E

O U R E T H E O U A R O I T H R I E V A

E L C R M R T N O V P R I B E N H T E W

P N W T T O H K L E W B L E C O S L L A

T D E T A N I I S N N G T I L S D M E Y

H I W T O E S U E N A O B D O E O O N S

E S O U H I S O W E I D A R S T A T N U

L D R D N E R H T A L R E S V E R A R T

U I R G J H O M E E G R A N E U D N E E

F V O R T F R O M E E P E L E W R T A A

H A S E U R T H W E R E E P M I E R H R

T D N A H T A E D E A R E R O M O N I S

I O T R A L E A W J U S V E U N V E E S

A W E E N O V L E E S S A S N T A I N O

F O R M N E W E A R T H P O W O A R O S